ALDABRA
LA TORTUE
QUI AIMAIT SHAKESPEARE

Illustration de couverture : Tom Schamp

Titre original : *Aldabra, la tartaruga che amava Shakespeare*
Pour l'édition originale publiée en 2000 par Adriano Salani s.r.l.
© 2000, Silvana Gandolfi

© Éditions du Seuil, 2003 pour la traduction française
Dépôt légal : avril 2003
ISBN : 2-02-055234-5
N° 55234-1
Tous droits de reproduction réservés

www.seuil.com

Silvana Gandolfi

ALDABRA
LA TORTUE
QUI AIMAIT
SHAKESPEARE

Traduit de l'italien
par Nathalie Bauer

OUVRAGE TRADUIT AVEC LE CONCOURS
DU CENTRE NATIONAL DU LIVRE

Seuil

MAMIE EIA : « Mon buste, mes bras et mes jambes grossissent, ma peau s'épaissit, elle prend la couleur du bronze, je perds mes cheveux et mon dos se voûte, se voûte… Si vous croyez que je suis seulement en train de devenir une vieille femme inutile et décrépite, laissez-moi tranquille, je suis trop occupée à découvrir ce que signifie être dure dehors et molle dedans. »

ÉLISA : « Ma grand-mère est étrange, peut-être malade. Mais je dois garder le secret, je ne peux demander conseil à personne. Si j'allais raconter à maman les bizarreries de mamie, elle la ferait enfermer une nouvelle fois. »

LA MÈRE D'ÉLISA : « Oui, c'est vrai… mais à l'époque, elle était dangereuse pour elle-même, elle était… elle était folle. Espérons qu'Élisa ne lui ressemble pas. »

MAX : « Avec son aspect imposant et préhistorique, elle m'aiderait, mieux que tout autre reptile, à faire déguerpir les monstres de la nuit. »

L'AUTEUR : « Pourquoi Venise et Adalbra ? Peut-être parce que la plus belle ville du monde et l'atoll possèdent tous deux une lagune. Et les lagunes, c'est bien connu, sont porteuses d'ensorcellements. »

SHAKESPEARE : « Nous savons ce que nous sommes, mais nous ne savons pas ce que nous pouvons être. »

À Donatella, compagne de tous mes voyages
dans les royaumes de l'impossible.

CHAPITRE PREMIER

« L'astuce, pour tromper la mort, c'est de se transformer, ma petite Élisa. »

Chaque fois qu'elle murmurait cette phrase, mamie Eia écarquillait ses yeux marron en me fixant intensément. Son vague accent étranger s'accentuait et sa voix restait suspendue au-dessus d'un abîme de mystère. Moi, je me tendais comme la corde d'un arc, les lèvres entrouvertes, le regard braqué sur elle, retenant mon souffle au fond de ma gorge. Nous jouions à celle, des deux, qui écarquillerait le plus les yeux.

Au bout d'un instant de suspension, mamie me saisissait les mains et, dans un chuchotement au parfum de frangipane et d'épices, commençait à me raconter la légende d'un vieux peuple, aux confins du monde, où, si elles le souhaitaient, les femmes ne mouraient jamais. Maîtresses d'elles-mêmes, elles se changeaient en quelque chose d'autre. L'astuce pour ne pas mourir, c'est de se transformer, justement. Certes, ce n'est pas facile, pas à la portée de tous : elle avait essayé une fois, mais cela ne s'était pas très bien passé.

Ou plutôt, pour dire la vérité, tout « s'était terminé en eau de boudin ». Elle prononçait ces mots en ricanant.

« En quoi voulais-tu te transformer, mamie ?

— Je n'arrive pas à m'en souvenir.

— En sirène ? » lui soufflai-je en pensant aux tableaux qu'elle peignait.

Les jeunes filles aux queues de poisson argentées dansant dans les flots bleutés étaient un de ses thèmes préférés.

« Une sirène ? Maintenant que tu le dis, oui, il me semble que tu as raison. C'est normal que je n'aie pas réussi : je ne suis même pas sûre que les sirènes existent ! » Elle ricana une nouvelle fois puis elle reprit son sérieux. « Tu vois, Élisa, on ne peut se transformer qu'en une chose qui nous appartient intimement. »

Mamie Eia était capable de raconter des histoires et des légendes comme s'il s'agissait de secrets précieux dont la vie même dépendait. Elle était particulièrement douée pour vous faire croire à ses récits ; plus ils étaient farfelus, plus ils avaient le goût fascinant de la réalité.

Ma grand-mère était toujours vêtue de blanc, été comme hiver. Elle avait quitté l'Angleterre pour venir à Venise à l'âge de vingt ans, et elle était aussitôt « tombée comme une mouche » dans les bras d'un ouvrier de l'Arsenal, le père de ma mère. Afin de l'épouser, elle avait abandonné sans hésitation une carrière prometteuse d'actrice à Londres. Puis son mari était mort, la laissant avec une petite fille. Pour survivre, Eia s'était mise à peindre des vues légères de Venise, du genre boîte de chocolats, à vendre aux touristes. Elle n'avait plus bougé de la ville.

Je lui rendais visite presque tous les jours. Il me fallait une demi-heure pour aller chez elle. En marchant vite. Jusqu'à l'embarcadère de la Celestia, il n'y avait pas de problème.

Mais une fois l'embarcadère franchi, une fois arrivée à la passerelle de métal bordée du grand mur de brique, j'accélérais le pas.

Les *murales* qui revêtaient le vieux mur de l'Arsenal avaient des couleurs violentes, ils étaient grossiers et quelque chose de guerrier en émanait ; aussi, pour ne pas les voir, je tournais toujours la tête du côté de la lagune en parcourant l'étroite passerelle. Au-dessous, une fine bande de boue et d'ordures affleurait à marée basse. Les algues recouvraient des briques cassées, des bidons rouillés, des sièges de voiture éventrés. D'après moi, la marée aurait pu apporter n'importe quoi, et pas seulement des détritus. Je fouillais d'un regard attentif ce simulacre de plage, à la recherche d'éclats insolites. Mes yeux s'attardaient longuement sur les bouteilles : à travers le verre sale, j'essayais de voir à l'intérieur. Contenaient-elles un message ? J'aurais beaucoup aimé me présenter chez mamie Eia avec la lettre d'un naufragé envoyée depuis l'autre bout de la planète. Elle appréciait énormément ce genre de chose.

Naturellement, je n'étais jamais descendue pour examiner ces bouteilles de plus près. Les pontons de planches pourries, un peu plus loin, m'en ôtaient toute envie. Aussi courbés que des ivrognes, ils se penchaient sur l'eau trouble, en face de l'île du cimetière. À leur vue, d'étranges idées me traversaient l'esprit. Et si la tête d'un noyé se cachait sous le ponton, parmi les algues putrides ?

À mi-passerelle, mes jambes se mettaient à courir d'elles-mêmes. Je dépassais le hangar aux fenêtres murées sans jeter le moindre coup d'œil aux déchirures entre les briques. Bien sûr, il m'était arrivé de lorgner à l'intérieur en profitant du passage d'autres personnes. Leur présence me donnait le courage de m'arrêter. Le visage collé contre le grillage métallique qui bouchait la déchirure, je tentais de dévorer des yeux, le plus rapidement possible, tout ce qu'il y avait là. Le toit était démesurément haut et ponctué de fissures qui laissaient entrer assez de lumière pour éclairer le sol recouvert de végétation. De mystérieuses cheminées en pierre étaient disposées contre les murs. Des cheminées gigantesques, dans lesquelles on aurait pu cuire un bœuf. La lumière du soleil filtrait à travers certaines d'entre elles, pâle imitation des feux qui y brûlaient jadis.

Ce hangar était plus vaste que celui que mamie Eia utilisait comme *atelier*. Plus vaste et plus vide. Plus sinistre. Un endroit parfait pour les réunions nocturnes du Ku Klux Klan.

Ce jour-là, je ne croisai pas d'autres passants, voilà pourquoi je ne ralentis qu'à la vue des *Petites Casernes*, au bout de la passerelle. Ces petites maisons bien alignées étaient en partie habitées, et leurs jardinets soignés, pleins de roses. Mais les fenêtres de la plupart d'entre elles étaient condamnées depuis des années, et des ronces poussaient à la place des roses. Du côté de la lagune, il y avait toujours du linge étendu sur un long fil : slips, chaussettes, vieux pantalons raides, que le vent faisait claquer. On aurait dit que c'étaient toujours les mêmes, semaine après semaine.

Il m'arrivait rarement de voir des gens s'affairer autour de leurs maisons. Parfois, l'un des habitants me saluait d'un bref signe de tête. C'étaient tous des vieillards : les enfants étaient rares et plutôt réservés. Chaque fois que je ralentissais le pas pour les regarder jouer, ils s'éloignaient aussitôt, sans sourires ni hostilité. J'avais donc appris à ne jamais m'arrêter.

Les *Petites Casernes* étaient une oasis de tranquillité relative : le tronçon le plus effrayant du parcours restait encore à venir.

Ce jour-là, comme beaucoup d'autres auparavant, j'avais l'impression d'être le Petit Chaperon rouge traversant le bois dangereux pour rendre visite à sa « mère-grand ». Comme lui, j'apportais à ma grand-mère des plats cuisinés avec amour. Ils n'étaient pas enfermés dans un panier, mais dans un sac en plastique. Jusqu'alors, je n'avais jamais rencontré de loup.

Comme c'est étrange, me disais-je. Maman ne m'accompagne jamais. Ne réalise-t-elle pas que c'est dangereux ? Ne voit-elle pas qu'ici tout est chaotique et déserté ? C'est justement la question : elle n'a jamais vu ces lieux.

Soudain, deux pensées se heurtèrent dans ma tête.

La première était la suivante : j'ai une grand-mère parfaite. Pauvre et adorable. Qui sent les fleurs de frangipanier. Qui raconte les histoires de façon formidable. Qui croit tout ce qu'on lui dit et qui ne me gronde jamais. Tout le monde aimerait avoir une grand-mère comme ça.

Et voici quelle était ma seconde pensée : maman, qui est sa seule fille, ne franchit jamais la passerelle de métal pour lui rendre visite. Et elle, mamie Eia, qui n'a pas d'autre famille au monde, ne vient jamais chez nous. Jamais, au grand jamais. Pas même à Noël. Enfin, elles ne se téléphonent pas.

Ce dernier fait était compréhensible : ma grand-mère n'avait pas le téléphone. Mais il n'expliquait pas tout le reste.

Étrange, je n'y avais jamais pensé. J'étais trop habituée à rendre visite à mamie tel un Petit Chaperon rouge solitaire. Et ce, depuis que j'étais grande. Avant, c'étaient des voisines, ou des amies de maman qui m'y accompagnaient. Je n'avais jamais remarqué combien cette habitude était bizarre.

Il en avait toujours été ainsi.

Combien de fois étais-je allée chez mamie Eia ? En comptant quatre après-midi par semaine, il me fallait multiplier quatre par cinquante-deux, ce qui donnait environ deux cents fois par an. Et deux cents multipliés par dix, c'est-à-dire mon âge, parce que j'y allais depuis le début de mon existence, faisaient deux mille fois. Je devais cependant ôter les mois qui avaient suivi ma naissance, quand j'étais trop petite pour être emmenée si loin en promenade, sans compter la période durant laquelle j'avais eu la scarlatine, les excursions scolaires et autres vacances… Je pouvais affirmer en toute certitude que j'avais rendu visite à mamie au moins mille cinq cents fois.

Toujours sans maman !

Et je n'avais pas trouvé ça bizarre.

Il est possible que les habitudes ne paraissent pas bizarres tant qu'elles sont des habitudes, surtout si on les a depuis la naissance.

Ce jour-là, en revanche, le côté illogique de la chose occupait toutes mes pensées. Sans doute parce que, avant d'arriver à la Celestia, j'avais croisé Francesca (ma voisine de classe), qui marchait entre sa mère et sa grand-mère. Sa grand-mère était très vieille : quatre-vingt-quatorze ans. Et pourtant, elles se dirigeaient gaiement, toutes les trois, vers les grands magasins pour acheter une nouvelle robe à Francesca.

Je poursuivai mon chemin, absorbée dans mes pensées, dépassant les petits jardins et le linge flottant au vent pour traverser des potagers incultes, remplis d'herbes très hautes, d'orties et de plantes grimpantes en tout genre.

Existait-il une loi secrète qui obligeait maman et mamie, l'une étant la fille de l'autre, à ne pas se fréquenter ? Y avait-il quelque chose que j'ignorais ? Quand je rentrais à la maison, maman enquêtait toujours sur la santé de mamie Eia. Elle me bombardait de questions, parfois gênantes. Du genre : « Est-ce qu'elle sentait mauvais ? Tu es sûre qu'elle se lave ? »

Elle s'inquiétait pour elle. Elle l'aimait. Alors, pourquoi s'évitaient-elles ?

J'atteignis l'imposante arcade dans le mur, surmontée de la grande inscription ARSENAL VENISE.

De l'autre côté de l'arcade, la lagune disparaissait, effacée par un très grand mur, crénelé comme celui d'un château, qui délimitait tout le quartier. Je longeai d'autres hangars de briques rouges pourvus d'étranges engins métalliques peints en bleu vif. Je n'avais jamais vu personne y entrer.

J'arrivai à la pancarte ZONE MILITAIRE. Je fixai un

instant le cercle rouge avec sa petite main barrée : le symbole d'accès interdit. Je devais tourner à droite.

D'autres panneaux sur lesquels il était écrit DANGER D'EFFONDREMENT vous ordonnaient de ne pas approcher certains bâtiments.

Je poursuivis ma route. Désormais, je n'éprouvais plus la crainte du Petit Chaperon rouge dans le bois. J'étais trop occupée à me remémorer tout ce dont je ne m'étais pas rendu compte jusqu'à ce jour. Je prenais conscience d'une énorme quantité de faits inexplicables.

Par exemple : mamie Eia ne mentionnait jamais sa fille. Il n'y avait pas de photo de maman chez elle. Pas une seule.

Et encore : quand je lui racontais une histoire qui concernait maman, elle écoutait sans rien dire. Elle attendait en silence que j'aie terminé de parler, un sourire aimable imprimé sur les lèvres, puis elle changeait de sujet de conversation.

Très, vraiment très étrange. Comment ne m'en étais-je pas aperçue plus tôt ?

Autre chose : pourquoi maman me suggérait-elle chaque fois de dire à mamie que j'avais confectionné de mes propres mains les plats que je lui apportais ? Il arrivait souvent qu'elle les cuisine en toute hâte ; je me contentais de participer aux décorations, qui étaient d'ailleurs sophistiquées et pleines d'imagination. Et pourtant, maman me conseillait de dire que j'avais pétri, fariné et enfourné toute seule.

Était-ce pour me permettre de faire bonne impression ? Je l'avais cru jusqu'à présent. Cela entrait maintenant dans la catégorie des bizarreries.

Je traversai les potagers remplis de choux et atteignis la grille du chantier naval.

Comme toujours, je tournai à gauche de la grille pour me glisser à un endroit précis, entre les ronces et l'herbe haute. L'embouchure du sentier était dissimulée par la végétation ; pour la trouver, il fallait savoir exactement où poser les pieds. Personne n'aurait jamais eu l'idée de s'introduire parmi des orties aussi hautes qu'un enfant de quatre ans. J'inspectai les cerisiers sauvages qui bordaient le sentier. Les fruits étaient presque mûrs. Encore deux semaines, peut-être. Je connaissais bien leur goût, si acidulé qu'il vous agaçait les dents. Quand, du rose délavé, ils viraient à un beau rouge translucide, je les cueillais sur les branches et m'en fourrais deux ou trois dans la bouche pour recracher ensuite les noyaux en rafales.

Au bout d'une vingtaine de mètres, le petit sentier inculte s'ouvrait brusquement sur un terrain assez grand, entouré d'arbres. Comme l'été approchait, cette clairière était à présent recouverte d'une belle pelouse, avec en son centre un monticule, un rehaussement d'environ deux mètres, une sorte de montagne en miniature. Pour une raison mystérieuse, l'herbe y était toujours très verte, même l'hiver. Le potager s'étendait vers le fond, avec sa cabane à outils.

Je balayai les alentours du regard. Mamie Eia pouvait très bien être en train de bêcher parmi les rangées de choux, dans sa longue robe blanche qui, comme par magie, ne se salissait jamais. Ne la voyant pas, je poursuivis mon chemin.

Elle devait être à l'intérieur, dans la cuisine, occupée à hacher menu des légumes pour ses salades particulières, au son de la radio. Ou dans le hangar abandonné qui se dressait près de la maison, un hangar semblable à celui que j'avais longé à mi-passerelle, à deux détails près : il était plus petit et ne contenait pas de cheminées. Il s'agissait de l'*atelier* de mamie. Il renfermait un vaste assortiment de pinceaux, tubes, pots de peinture posés sur des cagettes de fruits retournées. Les toiles aussi reposaient sur des piles de cagettes, qui les mettaient en sécurité lorsque les eaux montaient. Le sol était encombré de seaux pleins d'eau.

Je traversai la clairière en passant sous l'épaisse chevelure de quelques arbres, et m'immobilisai face à une coque de bateau endommagée, laissée sur l'herbe. Elle était sans doute là depuis au moins un siècle. Quand j'étais petite, j'aimais me cacher à l'intérieur de cette carcasse pour jouer aux pirates. Maintenant, je me contentais de la fixer en fermant de plus en plus les yeux jusqu'à ce qu'elle se perde dans la brume que créaient mes paupières baissées. Elle commençait alors à se soulever pour s'éloigner en errant dans le ciel comme la nacelle d'une montgolfière. J'étais la seule en mesure de provoquer ce phénomène.

Juste en face de la coque se trouvait la porte de mamie Eia. Une porte de planches autrefois bleu pâle, encadrée par de gigantesques plantes grimpantes, entortillées comme dans une jungle, qui partaient à l'assaut des gouttières et des murs de la maison, dissimulant les fenêtres aux vitres cassées et collées par des bandes de papier, à l'étage supérieur.

Il n'y avait pas de sonnette à cette porte. Et comment aurait-il pu y en avoir une ? La maison de mamie était privée d'électricité.

Comme d'habitude, avant de frapper, je levai le nez en l'air et regardai la portion de ciel que l'immense mur crénelé renfermait.

Seule la pointe élégante d'un clocher était visible, au loin. La pointe, rien de plus. Et un peu de côté, plus près, la cime d'une grue gigantesque. C'était là tout ce qu'on voyait de Venise. En ce qui me concernait, la ville avait disparu.

CHAPITRE II

La porte s'ouvrit et je me glissai dans la minuscule entrée dans laquelle s'entassaient de grandes bottes en caoutchouc et des capes imperméables.

Ma grand-mère écarta les bras et se pencha pour me tendre sa joue douce qui, comme son souffle, sentait les épices et la frangipane. Ses longs cheveux étaient tirés en une tresse juvénile qui tombait dans son dos. On aurait dit de la laine à la blancheur éclatante.

Après le baiser, elle me repoussa un peu pour mieux m'observer. Une expression perplexe avait surgi sur son visage.

« Élisa, tu as un drôle de ventre aujourd'hui. »

Je baissai les yeux sur mon jean. Effectivement, le renflement était considérable. Je pris un air penaud. « Ça se voit déjà ? Je peux te le dire, à toi… c'est un gros problème… je suis enceinte, mamie ! »

Pendant une fraction de seconde, les pupilles de mamie se dilatèrent. J'aurais pu lui faire croire n'importe quoi. Mais je ne voulais pas qu'elle s'écroule par terre, évanouie. Voilà

pourquoi j'introduisis la main sous ma ceinture et commençai à dérouler la fine toile blanche toute froissée.

« C'est ma chemise de nuit, mamie. Je l'ai gardée sous
mes vêtements pour pouvoir te réciter Ophélie sans perdre
de temps. » Elle était longue, elle m'arrivait jusqu'aux pieds.

« Comme je suis soulagée de savoir que ma petite-fille
de dix ans n'attend pas de bébé ! » Elle eut un rire exagéré.
Puis elle déclara : « Maintenant, nous sommes habillées de
la même façon ! »

En effet, sa robe blanche ressemblait à une chemise de
nuit.

« Mais il nous faut du romarin. Et des violettes », dis-je,
légèrement déçue par son rire faux. Elle ne s'était pas inquiétée une seconde.

Ma grand-mère se retourna pour entrer dans la cuisine.
Elle s'approcha d'un vase bleu, en tira un petit bouquet de
fleurs des champs et d'herbes aromatiques.

« Ça te convient ?

– Hum. C'est parfait. »

Je l'avais suivie dans la grande cuisine. Des douzaines
de bibelots brillaient sur les étagères, parmi des bougies, des
pots de café et de farine. La cuisinière, alimentée par une
bombonne de gaz, étincelait. La table de bois était recouverte d'une nappe bleue qui dissimulait de vieilles traces
de verres. Aux murs, des calendriers datant de dix ans et
quelques petits tableaux représentant des elfes, des yeux
égyptiens et des anges aux ailes démesurées, dont mamie Eia
était l'auteur. Un rideau de dentelle un peu jauni pendait à
la fenêtre, protégeant l'intimité de la maison.

Sur une étagère, la petite radio diffusait de la musique d'opéra en sourdine.

J'étais persuadée que la cuisine de ma grand-mère était identique à celle des cottages anglais. Bourrée de petites choses merveilleuses. Que je pouvais toucher sans énerver personne.

Je posai le sac en plastique sur la table. « Pour toi.

– Qu'est-ce que c'est ?

– Un flan aux anchois.

– Avec les têtes des poissons qui dépassent de la croûte, comme je l'aime ?

– Oui.

– C'est toi qui l'as fait ? »

Ce n'était pas une vraie question, car chaque fois je lui répondais d'un trait : « Bien sûr, mamie Eia. Je l'ai confectionné de mes mains de fée. Personne ne m'a aidée. »

Ce jour-là, j'avais vraiment préparé le flan. Maman n'aurait jamais eu l'idée de le bourrer de câpres, de fruits secs et de raisins de Corinthe. Il contenait plus de pignons que d'anchois. Pour finir, j'avais ajouté les têtes de poissons sur la fine croûte, avec leurs minuscules bouches ouvertes. On aurait dit qu'ils surgissaient d'un petit lac.

« En vérité, je n'ai pas eu le temps aujourd'hui. » J'avais menti d'instinct, obéissant à une inspiration.

« Alors, qui l'a préparé ?

– Maman. »

Mamie retira brusquement la main qu'elle avait tendue vers le sac, comme si elle s'était brûlée. Un instant, elle sembla changée en une grosse poupée de bois aux vêtements blancs.

D'une voix qui sonnait faux à mes propres oreilles, j'expliquai : « J'avais trop de devoirs…

– Je ne peux pas le manger. Prends-le, toi.

– Maman est une excellente cuisinière! Bien meilleure que moi!»

Elle me tourna le dos pour mettre de l'eau à chauffer. Mais j'avais eu le temps de remarquer une contraction sur ses lèvres. Une grimace affreuse. Ma grand-mère en sucre à la bouche mauvaise.

Je me sentis coupable. Mais je ne pouvais pas lui demander : « Mamie, vous vous détestez, maman et toi? » Comment poser une pareille question?

Je ne savais pas comment me tirer de ce mauvais pas. Ma grand-mère se taisait, les épaules raides, hostiles. J'aurais voulu faire marche arrière. Je commençai à parler des algues qui, cette année encore, envahissaient la lagune. Une véritable plaie! Y avait-il déjà des algues quand elle était jeune? Et ainsi de suite, blablabla. Impossible de m'arrêter. « Est-ce que tu as peint, mamie? Est-ce que tu as fini le tableau de l'ange au milieu des flammes? » N'importe quoi, pour la distraire du flan contaminé par les mains de maman.

Mamie Eia déposa deux cuillers de thé dans la théière et y versa soigneusement l'eau bouillante, puis elle se retourna sans me regarder et plaça deux tasses sur la nappe bleue. En silence, elle ajouta la théière ainsi qu'une assiette de biscuits, elle écarta une chaise pour que je m'y asseye, alla éteindre la radio et finit par appuyer les deux mains sur la table comme pour se soutenir. Elle avait les yeux fixés sur le sac en plastique. Je ne m'attendais pas à ce qu'elle s'asseye car cela ne lui arrivait jamais – mamie Eia passait presque toute sa vie debout –, mais je m'apprêtais à le lui proposer. Elle avait l'air si fatigué.

« Tu dois demander à ta maman pourquoi je n'accepte pas de cadeaux de sa part. Pourquoi nous ne nous voyons pas. Je ne veux pas te monter contre ta mère. » Elle continuait d'éviter mon regard. « C'est elle qui doit te parler la première. Maintenant, tu es grande, Élisa. Tu es capable de te faire tes propres idées. » Enfin, ses lèvres se plissèrent en un petit sourire tandis que ses yeux se posaient à nouveau sur moi. « Ceux qui connaissent Shakespeare par cœur peuvent tout comprendre de la vie. »

Muette, j'acquiesçai faiblement. Je n'étais plus tellement sûre de vouloir apprendre leur secret.

Ses lèvres s'étirèrent en un large sourire. « Bois ton thé. Valentina est revenue, tu sais ? »

Valentina était une lapine rousse qui se montrait de temps à autre dans la clairière, en face de la maison. Mamie Eia prétendait qu'elle laissait chaque fois un petit cadeau pour moi. Je ne l'avais jamais vue, mais les cadeaux étaient bien là. Une petite boîte en bois, un stylo avec une plume ancienne, une minuscule souris en verre bleu. Il suffisait de creuser à côté de la proue de la coque enfoncée.

Une fois les biscuits terminés, je mangeai tout le flan sous les yeux de mamie. Je n'avais pas le courage de le rapporter à la maison.

Puis nous sortîmes et, après avoir rentré ma chemise de nuit dans mon jean, je me mis à creuser. Je déterrai un coquillage, un de ces coquillages en tortillon. Je le nettoyai à l'aide de mes doigts. Il était intact. L'intérieur était d'un rose pâle exquis.

De retour à la cuisine, je rinçai le coquillage pour le faire briller, libérai ma chemise de nuit qui retomba de nouveau sur mon jean, attrapai les fleurs, poussai ma grand-mère dans le coin et la priai de me donner la réplique.

« Tu es le roi, et tu dois dire : "Comment allez-vous, jolie dame ?"

– Comment allez-vous, jolie dame ? demanda mamie Eia en adoptant une voix virile.

– Bien ! On dit que la chouette a été jadis la fille d'un boulanger… »

Je tenais les fleurs dans une main et agitais le coquillage de l'autre. « Seigneur… seigneur…

– Seigneur, nous savons ce que nous sommes, mais nous ne savons pas ce que nous pouvons être », me souffla le roi.

Je répétai la phrase avec fougue et sautai un bout du dialogue. « Voilà du romarin ; c'est comme souvenir. » Je m'étais mise à déclamer à l'intérieur du coquillage, que je plaquais contre ma bouche comme un micro. Une touche personnelle supplémentaire.

« Et voici des pensées, en guise de pensées… voilà pour vous du fenouil et des colombines… »

Je continuai, tout excitée, en agitant le coquillage car j'étais également occupée à jeter les fleurs de mamie sur le sol. J'étais Ophélie. J'étais une créature à l'esprit égaré. Je commençai à chantonner : « Et ne reviendra-t-il pas ? Et ne reviendra-t-il pas ? Non ! Non ! Il est mort[1]. »

J'étais au bord des larmes. Alors je me jetai dans les bras de ma grand-mère, même si Ophélie ne le faisait pas.

Mamie Eia applaudit : « Tu deviendras une grande actrice, Élisa. » Ses yeux brillaient. « Tu as été fantastique. Quand j'étais jeune, je n'étais pas mal, moi non plus, dans le rôle d'Ophélie. J'ai toujours eu un faible pour ce personnage, mais tu y as apporté quelque chose de plus, et c'est une connaisseuse qui te le dit. Embrasse-moi encore une fois. Et maintenant, as-tu envie d'écouter ta vieille grand-mère ? »

J'acceptai avec plaisir.

Mamie Eia saisit la théière et la serra contre sa poitrine comme s'il s'agissait du crâne de Yorick. Puis elle entama le monologue d'Hamlet.

Je l'écoutais, bouche bée.

1. *Hamlet*, acte IV, scène V, traduction de François-Victor Hugo, Paris, Flammarion, 1979.

CHAPITRE III

De retour chez moi, je me précipitai dans ma chambre pour me débarrasser de mon gros ventre avant que maman ne rentre du travail. Je ne voulais pas qu'elle apprenne que j'étais sortie avec ma chemise de nuit sous mes vêtements.

Maman n'aimait pas les excentricités. Aucune sorte d'excentricité. Quand je disais quelque chose de bizarre, elle me fixait avec un petit sourire anxieux. Et si je faisais quelque chose d'insolite devant elle – me mettre à gesticuler en ricanant devant le miroir, par exemple –, elle plissait le front et m'observait en silence de ses pupilles aiguisées. Si elle était alors en train de s'affairer à la cuisine, elle ralentissait ses mouvements et feignait de continuer sa besogne, mais je comprenais à ses gestes mécaniques et distraits qu'elle n'avait pas cessé de me surveiller. Alors, je me ressaisissais rapidement.

Je savais que maman était triste, parce que devenir veuve quand on est jeune rend les femmes tristes. J'avais un an quand papa était mort. Avec les innombrables photos d'un homme disparu disséminées un peu partout, la maison paraissait trop grande. C'était comme si ces portraits issus du passé libéraient des rayons sombres en mesure de ternir les couleurs des meubles, des murs et de nos visages. Maman et moi avions l'air de deux poissons silencieux qui se croisent dans un aquarium.

Je me changeai tranquillement. Le kiosque à journaux de maman fermait à sept heures et demie : elle ne rentrerait pas tout de suite.

D'une manière floue et vague, je me rendais compte que j'avais toujours su qu'il existait un mystère dans la famille. Un squelette dans le placard, comme on dit dans les romans. Un instant, j'imaginai des enfants illégitimes et des pactes secrets : quelqu'un avait interdit à ma grand-mère de revoir sa fille parce que… parce que sinon… sinon quoi ? Je n'arrivais pas à trouver de suite à cette histoire. Je repensai à toutes les questions que maman me posait lorsque je revenais de chez mamie Eia. Fait-il assez chaud chez mamie ? Oublie-t-elle, par hasard, de fermer les brûleurs à gaz ? Comment était-elle habillée ? Est-ce qu'elle mange ? Et quoi ? Avait-elle l'air fatigué ?

Jusqu'à ce jour, j'avais toujours essayé d'y répondre de façon détaillée : quand le soir tombe, mamie utilise des bougies, elle n'a pas l'électricité. C'est pour économiser, même si elle préfère les bougies à la cire d'abeille, qui coûtent cher. Elle ne laisse pas tomber une seule miette par terre. Elle est toujours vêtue de blanc, la couleur la plus propre du monde. Son potager est magnifique, elle a tous les légumes qu'elle désire.

Lorsque je parlais de mamie, je voyais bien que maman m'écoutait avec une totale attention. Elle était comme suspendue à mes lèvres. Mais je passais sous silence les toiles que mamie Eia avait terminé de peindre dans le hangar. Pas les petits tableaux qu'elle exécutait de temps à autre pour les touristes, non. Ces toiles-là, elle les gardait chez elle, elle ne voulait pas les vendre. Elles avaient quelque chose d'excessif, et je redoutais le regard alarmé que ma mère aurait eu si je les lui avais décrites.

Ce soir-là, après avoir servi le potage à table, maman se mit à poser les questions habituelles.

« Comment allait mamie aujourd'hui ? A-t-elle bien pensé à aller chercher sa retraite ? »

Nous y étions !

« Mamie va très bien ! protestai-je. Elle n'a tout de même pas perdu la mémoire !

– Heureusement. » Sourire hésitant. « Ce serait un problème…

– Elle est parfaitement capable de veiller sur elle-même. Plus que toi et moi. Elle n'a besoin de personne. »

Je percevais l'agressivité de mon ton, comme s'il s'échappait d'une autre personne.

« Pourquoi ? S'est-elle plainte de quelque chose ? » Maman continuait d'agiter sa cuiller dans le potage, une mèche de cheveux cachant presque ses yeux. Elle ne prit pas la peine de l'écarter.

Maintenant, je le voyais, le SECRET : une grosse bulle opaque suspendue dans l'air, entre maman et moi. Il nous bouchait la vue, nous empêchait de nous regarder droit dans les yeux. J'ouvris la bouche pour arracher à mes lèvres des mots aussi pointus que de grosses épingles. Je voulais la faire exploser rapidement, cette bulle.

« Maman, pourquoi ne lui rends-tu pas visite, si tu veux savoir comment elle se porte ? Pourquoi n'y vas-tu jamais ? Elle ne vit tout de même pas au pôle Nord ! » J'avais employé un ton suave, irritant, affilé.

Maman cessa de remuer son potage. Elle était si surprise, si bouleversée et si honteuse, ou que sais-je encore, qu'une pensée me traversa l'esprit : ce n'était pas la bulle-secret que mes aiguilles avaient transpercée, mais ma propre mère, et droit au cœur. Je détournai le regard.

« Elle t'a parlé. » Ce n'était pas une question. « Mamie… elle t'a tout raconté, n'est-ce pas ? » J'entendis sa voix se briser. C'était insupportable. Je la vis chercher ses cigarettes, en allumer une, aspirer une bouffée vorace.

« Non, maman. Mamie Eia m'a dit que c'était toi qui devais me parler. Elle n'a pas voulu manger le flan parce que… parce que…

– Parce qu'elle croyait que c'était moi qui l'avais fait ? » Dans un murmure, sans ôter la cigarette de ses lèvres.

« Oui. »

Maman se mit à pleurer. En silence, lentement, sans sanglots, sans fleuves de larmes, contrairement à moi.

Je me levai et allai me faufiler entre ses genoux. Je l'enlaçai. Maman se calma immédiatement, ou presque, et me serra fort contre elle. Elle écarta sa chaise pour que je puisse m'asseoir sur ses genoux, comme je le faisais autrefois. Mais alors, c'était moi qui pleurais, pas elle.

« J'ai dix ans. Je suis capable de me faire mes propres idées. Je peux tout comprendre.

— Je le sais. » Elle me serra encore. « C'est que… » Elle commença à me bercer d'un mouvement de balance presque imperceptible. « J'aurais dû t'en parler depuis longtemps.

— Fais-le maintenant. S'il te plaît. » J'agitai la main pour chasser la fumée.

Elle respira profondément, comme un plongeur qui se prépare à sauter. « Élisa, tu as toujours connu ta grand-mère calme et tranquille. Mais il y a quelques années — tu n'étais pas encore née —, un jour, brusquement… »

Je m'étais redressée pour voir son visage. Elle parlait les yeux fermés, sa cigarette oubliée entre ses doigts.

« Mamie Eia vivait dans l'appartement au-dessous du nôtre, toute seule. Nous nous voyions très souvent, comme tu peux te l'imaginer. Et puis un jour… tout d'un coup… bon, comme elle n'était pas montée chez nous depuis plusieurs heures, je suis descendue chez elle. Je l'ai trouvée immobile, à côté d'une fenêtre, une théière à la main. Elle fixait la théière d'un air perdu, tellement perdu… comme si elle ignorait ce dont il s'agissait. Je lui ai adressé la parole, mais elle ne m'a pas répondu. Elle ne reconnaissait plus rien. Les objets, par exemple. Elle attrapait une chaussure sans savoir à quoi cela servait. Ou une chaise. Sans raison. Au fil des jours, cela a empiré. Elle voyait des choses qui n'existaient pas. Elle ne reconnaissait personne. Elle n'arrêtait pas de se perdre. Nous la retrouvions très loin de chez elle, épuisée de fatigue. Je voulais qu'elle vive avec nous, et j'y ai réussi pendant un certain temps, mais ton père n'avait pas confiance, parce que... elle était devenue dangereuse, tu comprends, Élisa ?

– Dangereuse ? Comment ?

– Pour elle-même. Elle oubliait de fermer les robinets, elle a inondé l'appartement. Un matin, elle a bu tout le contenu de son flacon d'eau de toilette, *Air sauvage*. Après quoi, elle a continué de répandre des bouffées de parfum chaque fois qu'elle ouvrait la bouche. » Maman éteignit le mégot sur son assiette.

« Ça lui arrive encore.

– Quoi ?

– Son haleine sent les épices et la frangipane.

– Encore ? Mais tu ne me l'avais jamais dit !

– Tu ne me l'avais jamais demandé.

– Bon, les bêtises dangereuses ne se sont pas arrêtées là. Elle a fini par faire quelque chose d'effroyable... Nous l'avons trouvée penchée sur le balcon en train d'agiter les bras comme des ailes. Tu comprends ? Je l'ai rattrapée à temps. Nous ne pouvions plus la garder. Elle ne pouvait pas vivre seule. J'ai donc signé les papiers.

– Les papiers ?

– Les papiers pour l'interner dans une maison de santé. Je ne savais que faire d'autre.

– Un asile de fous, tu veux dire ? Mamie a été dans un asile de fous ?

– C'était le seul endroit où l'on pouvait l'aider. Les médecins avaient déclaré qu'elle était schizophrène. J'allais lui rendre visite mais elle refusait de me voir. Dès que j'apparaissais, elle montait sur ses grands chevaux. Elle savait que j'avais signé les papiers de son internement. Elle savait aussi que, sans ma signature, on n'aurait pas pu l'obliger à vivre là-bas.

– Elle ne voulait pas y vivre !

– Eh non.

– Pourquoi l'as-tu fait enfermer ? Mamie va bien ! Moi, je la vois tous les jours. Elle n'est pas folle !

– Elle l'était, avant d'entrer dans cette maison de santé. Là-bas, on lui a fait quelque chose, on l'a guérie. Elle y est restée quatre ans. Mais lorsqu'elle est ressortie, elle n'a pas voulu revenir vivre avec nous. Comme elle était veuve d'un travailleur de l'Arsenal, la mairie lui a attribué un logement à la Celestia. La maison où elle vit encore. Quand j'ai appris qu'il s'agissait d'une masure, j'ai essayé de lui obtenir quelque chose de mieux. Mais elle a refusé. Je lui envoyais mes amies pour qu'elles contrôlent son état de santé. Elle ne voulait pas me parler. Les médecins s'étaient trompés. Elle n'était pas atteinte de schizophrénie à proprement parler. Mais ils m'avaient avertie : je devais faire en sorte de ne pas lui procurer de grandes émotions. Pour éviter une rechute.

– C'est pour ça que tu ne m'as jamais accompagnée ?

– J'avais peur qu'elle s'énerve en me voyant. À l'asile, elle avait une crise chaque fois qu'elle m'apercevait au loin. Mais quand tu es née, j'ai pensé qu'elle serait peut-être contente de connaître sa petite-fille. Je t'ai appelée Élisa parce que c'est un prénom qui comprend les voyelles d'Eia, le sien. Je te faisais accompagner chez elle. Même quand tu étais bébé. Tout le monde me disait qu'elle était heureuse quand tu allais lui rendre visite. Mais moi, j'ai dû apprendre à vivre sans elle.

– Sans ta maman, murmurai-je.

– Sans ma maman. »

Maintenant, j'avais les yeux fermés, moi aussi. Je me sentais à moitié endormie. J'ignore pendant combien de temps nous nous sommes bercées réciproquement en silence, puis maman a repris la parole.

« Il est important que tu lui rendes visite, tu comprends? Et pas seulement parce que cela la comble de joie. Grâce à toi, je peux être sûre qu'elle va bien, que rien ne se remet plus à clocher chez elle… Si tu remarques une attitude bizarre, tu me le diras, n'est-ce pas? Un geste étrange… Tu feras attention?

– Hum.

– Tu me le promets? »

Un soupir s'échappa de mes lèvres. « Pff. »

Pour la première fois de toute mon existence, je faisais semblant d'avoir été vaincue par le sommeil, là, sur ses genoux. Je ne voulais pas répondre. Je ne voulais pas promettre. C'était comme si maman me demandait de jouer à l'espionne. De tromper mamie. Cela partait d'une bonne intention, bien sûr, et pourtant je sentais quelque chose se rebeller en moi.

Puis je crois que je me suis vraiment endormie, car je me suis ensuite réveillée dans mon lit, sous les couvertures, tandis que le soleil pénétrait par la fenêtre.

CHAPITRE IV

J'étais de nouveau devant la porte de planches écaillées. Mamie Eia ouvrit, me lança un regard inquisiteur et demanda : « Où veux-tu que nous allions parler ? Il fait trop beau pour rester enfermées ici. »

J'approuvai d'un air solennel. Je comprenais ce qu'elle voulait dire. De vastes espaces, des paysages grandioses, tel devait être le théâtre de ses révélations.

« Et si nous allions au Lido ? » proposai-je. Nous étions en mai, il faisait chaud, et la mer me parut assez immense pour accueillir nos confidences.

« Au Lido ? » Son visage s'éclaira tandis qu'elle posait la main sur son crâne, comme elle en avait l'habitude dans les moments d'excitation. Soulever le coude pour mettre la main au sommet de sa tête et y presser la paume était un geste typique de ma grand-mère, qui témoignait de sa joie. Elle laissa ensuite retomber le bras et secoua la tête. « Non, ce n'est pas possible. Nous gaspillerions trop de temps pour y aller, et tu dois être de retour chez toi à sept heures et demie. Si nous allions plutôt sur le clocher de Saint-Marc ?

– Mais, mamie, il y aura trop de touristes !

– Tu as raison. Alors, où ? »

Où ? Je me mordillai les lèvres à la recherche d'un endroit. « Voilà ce que nous allons faire, dit mamie Eia. Éloignons-nous d'ici. Je fermerai les yeux et te prendrai par la main. Tu me guideras comme si j'étais aveugle en me décrivant tout ce que tu vois. Si tu parviens à éveiller ma curiosité au point de me faire ouvrir les yeux, je te servirai de guide jusqu'à ce que je trouve un bon endroit. Alors, je te dirai d'ouvrir les yeux et nous nous arrêterons. Est-ce que ce jeu te plaît ? »

Il me plaisait et je le lui dis. L'espace d'un fugace instant, je me demandai si maman aurait considéré cette proposition comme un comportement bizarre.

Quand nous nous fûmes assez éloignées pour ne plus risquer de rencontrer des gens de notre connaissance, mamie ferma les yeux. Je serrai sa main gauche dans la mienne et lui dis de marcher tout près de moi. Elle avait la main froide, sa peau était épaisse et rêche. Ses pas, lents, pesants. Intriguée, je l'épiai. Les rides qui entouraient ses yeux fermés étaient sculptées en une expression intense, ses lèvres étaient solides, concentrées. Son visage me sembla nu et vieux, vulnérable.

Je me tenais du côté du canal pour lui éviter de courir le moindre risque. Je commençai à décrire les lieux que nous traversions. J'étais tellement absorbée par mon devoir que j'oubliai la raison pour laquelle nous cherchions un endroit tranquille et spacieux.

« Nous sommes dans une ruelle très étroite, toute droite. Je vois un drap jaune pendu en haut. Une nappe rouge et un pyjama blanc... une vieille dame qui se penche à la fenêtre et nous regarde... maintenant nous tournons... il y a un puits, un banc... nous sommes sur une petite place. Nous nous approchons d'un porche... je vois un hérisson...

– Il doit appartenir au blason d'une famille, murmura mamie sans se troubler ni ouvrir les yeux. Au-dessus du porche. Je m'en souviens.

– Je vois deux enfants... un chat gris... une fenêtre fermée... je vois un ananas !

– Un ananas ? Il n'existe aucun blason avec un ananas ! » Mamie ouvrit les yeux en s'arrêtant.

Nous étions face à un étal de fruits.

« Je t'ai eue ! C'est mon tour maintenant ! »

Je fermai les yeux et sentis que ma grand-mère serrait fort mes doigts dans sa main froide. « Prête ? demanda-t-elle.

– Prête ! »

Elle n'arriverait pas à me faire ouvrir les yeux.

Pendant environ une minute, nous marchâmes en silence. Marcher dans l'obscurité, à l'aveuglette, était une étrange sensation. J'avançai d'abord d'un pas raide, comme un pantin, collée à elle. Puis je cessai de contrôler la situation. Mamie ne me laisserait pas tomber dans un canal.

« Une marche, m'annonça-t-elle. Une autre. Encore une autre. » Je compris que nous étions en train de monter sur un pont. Elle s'immobilisa au sommet. Je l'imitai, les yeux toujours fermés. « Tiens tiens, dit-elle d'un air surpris. Mais qu'est-ce que c'est ? Dans le canal, juste au-dessous de nous :

on dirait un gros poisson qui nage sous l'eau. Et voilà qu'il saute ! C'est un dauphin !

– Ne triche pas, mamie ! » Je ricanai sans ouvrir les yeux.

« J'avais oublié de te donner une règle importante du jeu : l'aveugle n'a pas le droit de contester ce que voit son compagnon. Quoi qu'il dise, il doit le croire. » Elle continua, d'un pas légèrement plus rapide.

« Marche en descente. Une autre. Encore une autre. » Nous quittions le pont. Elle poursuivit en énumérant des arcades, des arbres qui jaillissaient des murs, des personnes, divers magasins.

« Nous sommes désormais sur une place. Il y a un tapis de soie étendu par terre. Bleu et or, très grand. Maintenant, nous sommes dessus ! »

Nous nous étions arrêtées. J'hésitai. En frottant mes chaussures sur le sol, je devinais quelque chose de doux sous mes semelles. Étais-je vraiment en train de marcher sur un tapis ? J'ouvris les yeux.

« C'est un tapis de bain ! Il est tombé d'une corde d'étendage, là-haut ! » m'écriai-je d'une voix indignée.

Mamie haussa les épaules.

« Maintenant, c'est mon tour ! »

J'avais compris les règles du jeu. Nous passâmes à travers des canaux recouverts de grosses plaques de glace. Des billets de cent mille lires étaient pendus à des fils à linge. Un lionceau s'abreuvait à un puits. Mamie Eia résistait, réclamant des renseignements, exigeant des détails de plus en plus précis, sans jamais ouvrir les yeux.

Après le énième pont, duquel j'avais vu s'éloigner une gondole remplie d'animaux sauvages, comme dans une version réduite de l'arche de Noé, je commençai à être fatiguée. Nous nous trouvions à San Pietro di Castello. Il y avait des bancs sur l'esplanade déserte de l'église. J'y conduisis ma grand-mère sans prononcer le moindre mot.

« Tu peux ouvrir les yeux », annonçai-je en m'asseyant. Mamie Eia obéit. Elle me sourit. « Sais-tu comment s'appelle ce jeu ?

– Comment ?

– Le jeu de la confiance. Tiens, un peigne en écaille de tortue. »

Elle se baissa pour ramasser sur le sol un vieux peigne privé de toutes ses dents, ou presque. Il ne lui restait plus que les deux plus larges, à chaque extrêmité, et une troisième au milieu. Elle le souleva en le tenant en position verticale, les trois dents vers l'est.

« On dirait un E, observa-t-elle.

– L'initiale de nos prénoms.

– Et dire que ce peigne a jadis fait partie d'une chose vivante, d'une créature ayant vécu on ne sait où… »

Elle le caressa doucement, le nettoyant avec soin. Le dessin marron brilla sous ses doigts. « Je me demande où…

– Assieds-toi, mamie, s'il te plaît. Nous devons parler. »

Elle obéit en glissant le peigne édenté dans la large poche de sa robe blanche.

Un instant, nous observâmes en silence les bateaux amarrés dans le canal, en face de nous : tartanes et grosses barges aux couleurs écaillées. Pas de gondoles. De son reflet, l'eau multipliait par deux le volume des embarcations qui se balançaient calmement. Cet endroit était très spacieux. Très aéré.

« Maman m'a parlé de l'asile, murmurai-je.

– Cela s'est passé il y a très longtemps. » Mamie Eia regardait droit devant elle, les yeux perdus dans le canal et sur le mur d'en face. « Je n'ai jamais bien compris comment tout a commencé... quand je ne reconnaissais ni les objets ni le reste. Je ne sais qu'une seule chose : je tentais de me transformer pour ne pas mourir... Je ne parle pas de la mort physique, on peut mourir de mille manières, tu sais... Je revois la vedette-ambulance m'emmener comme si c'était hier... Je criais et je me débattais... sous les yeux de ma fille ! » Elle secoua la tête comme pour chasser cette image. « La vie était atroce dans cet asile. Ils m'interdisaient de me transformer. Oh non ! Pas de transformations là-bas. Ils m'ont obligée à rebrousser chemin, à reprendre mon identité précédente. Au début, j'ai résisté, mais ensuite... c'était tellement cruel. Tu sais ce que sont les électrochocs ? »

J'acquiesçai sans rien dire.

Mamie Eia tira le peigne de sa poche et commença à jouer avec d'un geste distrait. « Il n'y avait pas que ça. Il y avait l'indifférence des médecins, le peu de temps qu'ils consacraient aux malades. C'était ridicule : deux minutes par personne, pas plus. Et les obligations absurdes... C'était horrible... Horrible. Pour en sortir, je leur ai obéi : je suis redevenue celle que j'étais avant. »

Elle s'interrompit. Elle fixait le peigne, mais je comprenais qu'elle ne le voyait pas. Elle était totalement plongée dans le passé. Puis une pensée dut la rasséréner. Elle reprit la parole.

« J'avais des amis à l'asile, les autres fous. Ils cherchaient tous quelque chose. Comment dit Shakespeare ? "Nous savons qui nous sommes, mais nous ne savons pas ce que nous pouvons être." Les fous sont des gens qui errent en essayant de devenir ce qu'ils peuvent être, tu comprends ? »

Je n'étais pas certaine d'avoir compris, mais je hochai la tête.

Mamie Eia continua son récit. « Le temps avait disparu, je n'arrivais plus à distinguer le jour de la nuit. Mais ce n'était pas important. Et puis, enfin, un médecin m'a donné des couleurs. J'ai commencé à peindre. Pas les tableaux à la guimauve d'avant. Jusqu'à ce moment-là, je m'étais contentée de faire des tableaux qui plaisaient aux autres, pour gagner de l'argent. Dès lors, je me suis mise à peindre ce qui me plaisait à moi. Tu vois, d'une certaine façon, les problèmes que j'avais provoqués dans cette tentative de me transformer, ce que les médecins qualifient de folie, m'ont été utiles. Mais je ne peux pas pardonner à ma fille. Aucun être humain n'a le droit d'enfermer un autre être vivant. Jamais, pour aucune raison au monde.

– Maman s'inquiétait pour toi. »

Je ressentais le besoin de justifier ma mère. Je n'aimais pas l'imaginer dans le rôle d'un bourreau.

« Pour elle, toute extravagance est un danger. Aujourd'hui encore, elle me ferait enfermer si elle l'estimait nécessaire. Voilà pourquoi je préfère l'éviter. »

Je n'avais rien à rétorquer : c'était vrai, je ne le savais que trop bien.

« Si l'on m'internait une deuxième fois, je crois que je succomberais au bout de deux ou trois jours. » Elle prononça ces mots sur un ton paisible, comme si elle affirmait une chose dont elle était absolument certaine, mais je ne parvins pas à saisir à cet instant-là le sens de ce qu'elle avait dit. Ses paroles retentissaient dans mes oreilles comme des sons privés de signification. Je la regardais d'un air hébété.

« J'en mourrais, murmura-t-elle.

– Mais tu ne seras plus jamais internée ! » m'exclamai-je en l'étreignant pour l'empêcher de continuer. C'était comme si mamie Eia avait dit quelque chose d'obscène. « Tu n'es pas folle ! » Comme je pressais mon visage contre le sien, je pouvais sentir son haleine épicée. Je repensai à l'eau de toilette *Air sauvage* qu'elle avait avalée quelques années plus tôt comme du *spritz*[1].

« Ah non ? Et si je te disais que je vois nager sous ces bateaux… des méduses géantes ?

– Où ?

– Là-dessous… Maintenant, je ne les vois plus ! Elles sont allées trop profond. Elles ont… sombré !

– Je les ai vues ! J'ai eu le temps de les voir avant qu'elles ne disparaissent… mamie, je les ai vues ! » J'écarquillais exagérément les yeux pour lui montrer combien j'étais excitée.

---

1. Le spritz est un cocktail vénitien à base de mousseux, d'Apérol (boisson sans alcool) et d'eau gazeuse.

« Vraiment ! Vraiment ! Elles ressemblaient à… de la gélatine
bleue avec des tentacules ! Je te dis que je les ai vues ! »
Elle m'envoya un baiser. « Merci, Élisa. » Elle soupira.
« Je suis reconnaissante à ta mère d'une seule chose.
    – Et de quoi ?
    – Du fait qu'elle t'autorise à venir me voir. »

CHAPITRE V

Je me rappelle très bien le jeu de la confiance : ce fut le dernier jour où mamie Eia me sembla égale à elle-même.

Il s'écoula un peu de temps avant que je ne la revoie. Cinq jours exactement. La fin de l'année scolaire approchait, et je devais passer les examens d'entrée en sixième. Je n'avais pas peur, mais la nervosité qui s'était répandue dans la classe me poussait à travailler plus que d'habitude : je passais des après-midi entiers à faire mes devoirs, toute seule ou chez Francesca. Quand le samedi se présenta enfin, j'allai à la Celestia.

Je trouvai mamie en train de peindre dans le hangar. Elle utilisait une vieille toile : je la reconnus à ses dimensions, parce que c'était la plus grande de son atelier. Elle y avait représenté deux anges aux pieds de bouc. C'était un tableau blasphémateur et amusant, mais les sabots, les ailes et tout le reste avaient maintenant disparu sous une couche de peinture blanche. Debout devant la toile fixée sur un chevalet rudimentaire, mamie dissimulait derrière son dos ce qu'elle peignait.

« Je croyais que les anges-chèvres te plaisaient ! » m'exclamai-je.

Mamie se tourna vers moi. « Oui, mais j'avais besoin d'une grande toile. Et j'étais trop impatiente pour aller en acheter une neuve. »

Elle recula d'un pas pour me permettre d'observer ce qu'elle avait peint.

Il y avait là un grand désordre de couleurs. Bleu, rouge foncé, jaune, noir. Et turquoise. Je ne voyais pas de figures humaines.

« Tu te lances dans la peinture abstraite ? demandai-je.

– Hum. Ce n'est pas terminé. »

Je la regardai travailler un moment. Le tableau se remplissait lentement de turquoise et de violet. Nous gardions toutes deux le silence. Je savais par expérience que mamie n'aimait pas parler quand elle travaillait. Je savais aussi que lorsque j'étais là elle cessait de se consacrer à ses tableaux au bout d'une dizaine de minutes pour m'offrir toute son attention. J'attendis donc.

Elle travaillait avec des gestes lents, solennels. Elle plongeait son pinceau dans le pot de turquoise, le laissait égoutter avant de le poser sans hâte sur la toile. Elle demeurait immobile un instant, comme pour décider de la direction à donner à sa main, puis elle commençait à promener doucement la peinture sur la surface, traînant son pinceau comme s'il pesait un quintal. Tous ses mouvements étaient réfléchis et mesurés.

Vingt minutes s'écoulèrent, et mamie ne semblait pas disposée à s'arrêter.

Comme je m'ennuyais, je finis par l'apostropher : « Mamie ! Je t'ai apporté des *zaeti*. Je les ai achetés. J'ai trop de devoirs pour faire la cuisine. » Je savais que ma grand-mère avait un faible pour les biscuits à tremper dans le vin cuit.

Elle sursauta. Son visage avait l'expression concentrée et vulnérable que j'avais aperçue pendant qu'elle marchait les yeux fermés. Elle posa son pinceau dans le pot de térébenthine et se nettoya les mains à l'aide d'un chiffon. « C'est gentil de ta part, Élisa. »

Une nouvelle fois, la lenteur de ses gestes me frappa. Elle semblait se déplacer au ralenti.

« Cela peut attendre », affirma-t-elle en lançant un dernier coup d'œil à son travail. Au cours de ces vingt dernières minutes, les zones turquoise du tableau s'étaient enrichies de taches grises. Elles évoquaient d'étranges champignons bosselés.

Nous allâmes à la cuisine. Elle prépara le thé. Je l'observais, un peu déçue qu'elle ne prenne pas la bouteille de vin cuit. Ses gestes étaient engourdis, son dos plus voûté que d'habitude. Elle mastiqua longuement les biscuits, debout, après les avoir trempés un à un dans le thé. Elle avait des manières voraces. Cela lui demanda une éternité.

La lapine Valentina m'avait apporté un autre cadeau : un bracelet en petites perles rouges comme des rubis. Après l'avoir glissé à mon poignet, je récitai à ma grand-mère la scène de Roméo et Juliette au balcon. Mamie Eia me donnait la réplique en interprétant un Roméo fougueux, animé d'une passion juvénile, mais je me trompai plusieurs fois car je n'avais pas eu la possibilité de revoir le rôle.

Quand, avant de repartir, je m'approchai de mamie pour l'embrasser, je constatai que son cou s'était beaucoup flétri. Sa peau, froide et tombante, formait des poches vides et des plis sous le menton. Je n'avais jamais réfléchi à la désagrégation inexorable des corps des vieillards.

« Mamie Eia, quel âge as-tu ? l'interrogeai-je.

– Plus de quatre-vingts ans.

– Ce n'est pas énorme. La grand-mère de Francesca en a quatre-vingt-quatorze.

– Alors, je suis une jeunette, ricana-t-elle en portant une main à sa tête. J'ai une vie entière devant moi. »

Elle tint la porte ouverte tandis que je m'éloignais. Je la vis me fixer depuis le seuil. Elle avait tiré de sa poche le peigne en écaille de tortue et, d'un geste lent, passait ses trois dents dans les cheveux blancs qui recouvraient son crâne. Elle sourit et me salua en agitant sa tresse comme un mouchoir.

Le mardi suivant, je trouvai encore une fois mamie Eia dans le hangar. Elle avait empilé tous ses vieux tableaux sur des cagettes de fruits vides, le côté peint vers le mur. Elle avait besoin de nouvelles toiles. Un seul tableau était visible : celui auquel elle travaillait lors de ma dernière visite. Je m'approchai pour mieux le voir. On aurait dit un paysage lunaire. Ou martien. D'étranges taches grises en forme de champignon atomique sur une improbable mer turquoise. Des petits points blancs parcouraient le ciel. Des mouettes ?

« Il est terminé ? demandai-je.

– Hum. Peut-être. »

Elle n'avait même pas détourné les yeux de son travail. Elle était occupée à une toile aux dimensions énormes, qu'elle avait obtenue en cousant quatre toiles ensemble. Le tout était maintenu en position verticale, légèrement inclinée, par un grossier châssis de bois. La toile était si grande que mamie Eia ne parvenait pas à en toucher le haut de son pinceau.

« Il faut que je mette le tableau par terre. Aide-moi », dit-elle.

Après avoir déplacé quelques seaux, nous déposâmes le tableau gigantesque sur le sol, où poussaient quelques brins d'herbe. Pour le moment, elle n'y avait peint qu'une couche turquoise et vert. Il ne m'évoquait rien de particulier : il n'était ni beau ni laid.

Mamie se blottit par terre, à côté de la toile, et entreprit de la lisser avec des gestes prudents, un peu maladroits, en arrangeant les jonctions des diverses toiles, là où les coutures étaient rafistolées. Accroupie de la sorte, le dos tendu, sa robe blanche tirant sur ses hanches, ses jambes massives repliées sous elle, elle paraissait très grosse. Je n'avais jamais considéré ma grand-mère comme une grosse dame. Elle était certes un peu ronde, robuste et bien potelée, mais pas grosse. À présent, elle évoquait un pachyderme.

« Que sont ces taches ? hasardai-je.

— Je ne le sais pas encore.

— Tu ne sais pas ce que tu peins ?

— Pas vraiment. Je le découvre progressivement. Sois gentille, passe-moi les pots de peinture. Pose-les ici, par terre. »

J'obéis et puisai un à un les pots de peinture dans la cagette où ils étaient installés, les alignant ensuite sur le sol de terre battue.

« Tu vas salir ta robe, mamie.

– Oh, je fais attention.

– Est-ce que je pose aussi le pot de pinceaux ?

– Bien sûr. »

Elle se remit au travail. En m'ignorant.

Je m'assis en tailleur à côté d'elle et commençai à l'observer.

Sa tresse blanche à l'aspect laineux, un peu moins épaisse que dans mon souvenir, tombait sur son épaule, lui couvrant la nuque. Je remarquai ses bras. Sa robe d'été à manches courtes dénudait ses avant-bras ; ses coudes étaient si ronds qu'ils semblaient absents. Ses poignets, deux petits poteaux larges et musclés. Et ses mains ! Deux spatules aux gros doigts courts qui avaient du mal à serrer le pinceau fin. Ses ongles étaient solides et carrés.

Je posai le regard sur ses jambes. Elles étaient horribles : aussi grosses et larges que des pattes d'éléphant. Sa peau était squameuse et grisâtre. Son buste avait également grossi et son dos était tellement voûté qu'il paraissait aussi rond qu'une colline. Cette impression était sans doute due à la position de mamie : elle n'avait jamais été bossue. Dans tout cet amas de chair, sa tête avait l'air minuscule. Pour une raison mystérieuse, cette petite tête et ce cou rugueux, long et maigre me serrèrent le cœur. Tout comme son visage flétri, les poches sous ses yeux et ses paupières lourdes qui retombaient un peu en avant en lui donnant un air somnolent. Je la trouvais terriblement vulnérable. J'en avais le vertige.

Je me penchai pour l'embrasser.

Mon étreinte faillit la déséquilibrer. « Hé, hé. » Elle laissa tomber son pinceau pour me serrer contre elle. Je sentis son haleine épicée, et cette odeur familière me rassura. Le monde reprit sa place.

« Maintenant, allons nous promener. Qu'en dis-tu ? » Elle sourit. « Je suis vraiment égoïste de peindre alors que tu es là. C'est que... je ne sais pas, mais ces derniers jours une urgence me pousse à terminer ça... » Elle indiqua la toile.

« Vraiment, tu ignores encore ce que ça deviendra, mamie ? »

Elle rit. « Oui. Je n'ai pas le plan de l'œuvre. Je travaille en obéissant à l'impulsion du moment.

– C'est une bonne chose pour un peintre ?

– Je ne sais pas, Élisa. C'est comme ça pour moi. C'est comme si je poursuivais une vision, mais cette vision n'est pas claire. Je serais incapable de la décrire avec des mots. Voilà pourquoi je dois la peindre. Mais ça suffit maintenant. Aide-moi à me relever. »

J'eus l'impression de devoir soulever un énorme sac de ciment : il me fallut mobiliser toute mon énergie pour y parvenir. Heureusement, mamie Eia riait, sinon ç'aurait été pénible.

Quand elle fut debout, elle baissa les yeux sur son tableau inachevé, couché par terre. Il y avait de la tendresse dans son regard, sous ses lourdes paupières. « Je me demande ce que ça peut bien être, murmura-t-elle.

« – Mais celui-là, dis-je en montrant la toile aux champignons gris posée contre la cagette. Tu sais ce qu'il représente, hein ? »

Elle tourna les yeux vers l'autre tableau. « Toi, qu'est-ce que tu y vois ?

– Moi ? Bof.

– Comment, bof ? Ce n'est pas une réponse ! Allez, Élisa, fais travailler ton imagination. »

Pour une fois je n'avais pas de réponse. « Des champignons vénéneux ? » lançai-je pour ne pas rester muette.

Mamie éclata de rire en secouant la tête.

« J'ignore de quoi il s'agit, mais je suis sûre que ce n'est pas vénéneux, déclara-t-elle sur un ton véhément. C'est assez excitant, tu ne trouves pas ?

– Des champignons hallucinogènes ! »

Elle me dévisagea d'un air étrange. « Je ne crois pas que ce soient des champignons. C'est… c'est… » Son regard se perdit dans le lointain et elle se tut.

J'étais désormais obligée d'espacer mes visites à mamie à cause des examens qui approchaient. Venise était plongée dans une chaleur étouffante et il était pénible de travailler. Pensant que j'avais besoin de mouvement, maman proposa de m'accompagner au Lido avec Francesca, le dimanche, pour les premiers bains de la saison. Cela me priverait de quelques promenades à la Celestia. Mais tandis que je pataugeais dans l'eau encore froide, éclaboussant Francesca, ou courant sur le sable, je ne pensais pas à mamie. Je me disais seulement qu'il me tardait d'en terminer avec l'école pour aller me baigner tous les jours.

C'est ainsi qu'une semaine s'écoula avant que je ne revoie ma grand-mère, et quand cela se produisit, je n'étais pas préparée à un tel changement.

Mamie Eia avait terriblement vieilli. En l'embrassant, je constatai combien sa peau était rêche. Ses bras, épais et comme rugueux, semblaient recouverts d'écailles et non d'un épiderme. Ils étaient curieusement bronzés, comme si un soleil implacable n'avait cessé de la frapper. Son visage aussi avait la couleur du bronze, mais il était privé des beaux reflets dorés qui brillaient, en revanche, sur le mien.

« Tu vas bien, mamie ? demandai-je en m'écartant.

– Comment ? »

Je haussai le ton : « Tu vas bien ?

– Je ne me suis jamais mieux portée. »

Elle souriait tranquillement. Elle ne voulait pas me rassurer, elle était sincère. Cela augmenta ma perplexité : comment pouvait-elle bien se porter alors que ses paupières enflaient au-dessus de ses yeux, qui, de fait, paraissaient plus petits, et que sa belle tresse était réduite à l'état d'un misérable spaghetti ? On voyait de larges portions bronzées de son crâne, là où ses cheveux ne le recouvraient plus.

Je ne savais pas comment aborder ce sujet sans la blesser. Comment lui dire qu'elle avait une tête horrible et qu'elle semblait vieillir à vue d'œil ? Il ne m'était encore jamais arrivé de lui répéter la moindre phrase : devenait-elle sourde ?

« Viens voir mes tableaux, me proposa-t-elle immédiatement. Je suis curieuse de connaître ton avis. »

Nous allâmes dans le hangar. Désormais, toutes les toiles avaient été réutilisées. Plus de trace des anges-chèvres et des petites sirènes. Tous les nouveaux tableaux représentaient à peu près la même chose : un vague paysage marin avec des rochers en forme de champignons surgissant d'eaux turquoise. Ces rochers étaient recouverts d'une végétation basse, gris-vert. Je n'avais jamais vu d'endroits pareils. Le tableau le plus grand, celui qu'elle avait obtenu en cousant quatre toiles ensemble, prenait le même chemin que les autres : un paysage âpre, lunaire. Le dessin n'était pas clair : des masses sombres, lisses et rondes se pressaient sous un des champignons habituels. De quoi s'agissait-il ?

En me retournant pour lui poser la question, je remarquai quelque chose par terre. Un chou en partie rongé. Que faisait-il là, jeté sur le sol de terre battue ? Mamie suivit mon regard, elle contempla le chou sans rien dire.

Je réprimai mon envie de le ramasser et posai à nouveau les yeux sur les tableaux. « Sais-tu maintenant ce que tu as peint ? lui demandai-je prudemment.

– Comment ?

– Sais-tu ce que tes tableaux représentent ?

– Oui, je le sais maintenant. »

Je l'observai attentivement. Elle était debout, voûtée, son regard ne cessait de courir sur les toiles. Je m'aperçus que ses iris avaient foncé : ils n'étaient plus marron, mais d'un noir intense, on aurait dit que la pupille les occupait entièrement. Je n'avais jamais entendu dire que les yeux foncent avec l'âge, et pourtant c'était le cas.

« C'est un endroit. » Elle prononça ces mots comme s'ils

devaient me suffire, comme si le terme « endroit » expliquait tout.

« Oui, mais lequel ? l'interrogeai-je.

– Un endroit important. Je crois que j'en ai rêvé.

– Y es-tu allée aussi en réalité ?

– Je ne sais pas... je ne crois pas. Et pourtant, je sens que je ne l'ai pas inventé. Il doit bien exister quelque part.

– Alors, il a un nom.

– Je ne connais pas son nom, ou plutôt... je ne connais pas son nom dans le langage humain.

– Pourquoi ? Dans quel langage le connais-tu ?

– Quoi ? »

Je répétai ma question plus fort. « Saurais-tu me le dire dans un langage non-humain ? »

Elle sourit. Son vieillissement rapide avait effacé la partie charnue de ses lèvres. Celles-ci étaient à présent si fines qu'on ne les voyait plus.

« Veux-tu l'entendre ?

– Oui. »

Alors, elle renversa sa petite tête en arrière. Je dis « renversa », mais ce n'est pas le mot exact, parce qu'elle effectua ce mouvement lentement, comme tous les autres désormais.

« Oorcchhouffmmhh. »

Elle le dit avec une assurance sauvage. Ici non plus, il n'est pas correct d'employer le terme « dit », car ce n'était pas un mot, mais un son. Un son enflé, plus ou moins semblable à un mugissement. Il y avait en lui quelque chose de retentissant, comme dans les bruits qui proviennent du

ventre, mais il vibrait aussi d'une vivacité joyeuse, irré-
pressible.

Je n'avais jamais rien entendu de pareil. Ignorant
comment réagir, j'éclatai de rire.

Je ris comme si c'était amusant, mais je me sentais mal
à l'aise. Mamie n'allait pas bien et je ne savais pas quoi faire.
Je ne l'avais jamais vue comme ça.

Devais-je le rapporter à maman ?

Et pourtant, si mamie Eia avait vieilli, si elle était
bizarre, elle n'avait apparemment rien perdu de sa formidable intuition. Elle posa aussitôt ses petits yeux brillants
sur moi et dit : « Je ne connais pas ce langage, et pourtant le
fait de l'utiliser me remplit d'un bonheur tout neuf. Je vais
bien, Élisa. Sérieusement. Il ne faut pas que tu t'inquiètes
pour moi. » Elle ramassa le chou, le nettoya sur sa robe,
ouvrit toute grande la bouche et mordit dedans. « Miam.
Délicieux. J'ai découvert que j'aime beaucoup ronger des
légumes crus en peignant. Cela me fait du bien, cela me
donne de l'énergie. Mais ne le dis pas à ta mère, elle
n'approuverait pas. »

CHAPITRE VI

Sur le chemin du retour, j'avais décidé de parler à maman : j'étais persuadée que mamie avait besoin de toute urgence d'une visite médicale. Cependant, quand ma mère me posa ses questions habituelles sur son ton angoissé, je l'assurai que mamie se portait bien. Ou plutôt très bien. J'avais changé d'idée au dernier moment, juste avant d'ouvrir la bouche : je voulais faire une ultime tentative pour amener ma grand-mère à prendre elle-même la décision d'aller chez le médecin sans que personne ne l'y oblige.

Mais je n'avais pas tenu compte des examens. Pendant une semaine, je fus emportée par l'anxiété et par l'excitation, aussi mes inquiétudes pour la santé de mamie Eia diminuèrent-elles au point de se ficher dans un coin sombre et peu fréquenté de ma conscience.

Pourtant, un quart d'heure après m'être rendu compte que j'avais définitivement quitté l'école primaire, et d'une façon triomphale qui plus est, je me sentis coupable d'avoir oublié mamie. Je décidai de lui rendre visite sans attendre, renonçant à la promenade à Chioggia que maman m'avait proposée pour fêter mon passage en sixième.

Je la trouvai dans le hangar, accroupie sur le sol. En la voyant du seuil, aveuglée par le soleil, j'eus du mal à la reconnaître. Quelque chose avait énormément changé en elle.

Sa tresse !

Mamie l'avait coupée. Toute nue, sa tête semblait encore plus petite qu'avant. Quelques fils argentés brillaient sur son crâne aussi sombre que du bronze.

Puis, avant même qu'elle ne se tourne vers moi, je remarquai un autre grand changement.

Elle peignait avec les mains. Plus de pinceaux : mamie plongeait directement ses doigts trapus dans les pots de peinture acrylique pour les poser ensuite sur la toile, où elle répandait les couleurs en traces larges et généreuses. Comme les petits enfants lorsqu'ils manient les gouaches spéciales à utiliser avec les doigts, celles qu'on peut lécher sans problème.

« Mamie », appelai-je à voix basse.

Elle pivota lentement. Au moins, sa surdité ne s'était pas aggravée ; c'était déjà quelque chose !

« Salut Élisa. Alors, tu as été reçue ?

– Ouiii ! »

Je m'approchai d'elle et me penchai pour l'embrasser. Ma grand-mère en sucre : sa robe blanche n'avait pas une seule tache. Comment faisait-elle ? C'était peut-être grâce à ses gestes de moine zen ; quoi qu'il en soit, elle avait l'air propre. Je m'assis à côté d'elle pour observer le tableau auquel elle travaillait. Encore des rochers aux formes étranges.

« Maintenant, je le sais. C'est une île, dit-elle avant que je ne l'interroge. Mais ça suffit pour aujourd'hui : nous devons fêter ton succès. » À l'aide d'un chiffon, elle nettoya ses mains tachées de turquoise et de violet, puis elle attrapa une carotte, qui gisait sur le sol. « Tu en veux ? » me proposa-t-elle avant de mordre dedans. Je remarquai que sa bouche avait changé. Je savais – car elle me l'avait dit elle-même – qu'elle portait un dentier depuis plusieurs années. Mais j'aurais juré à présent qu'elle avait quelque chose de plus encombrant dans la bouche. Il m'était déjà arrivé de voir des vieillards sans dentier : ils sont horribles, avec leurs lèvres rentrées comme le cul d'une poule. Eh bien, mamie Eia n'avait pas la bouche rentrée en cul de poule : elle l'avait grande et saillante, sans lèvres, aussi dure que le bec d'un oiseau. Et son nez ? Il s'était aplati au point de se réduire aux seules narines, qui affleuraient au-dessus de sa bouche fine.

Comme si elle avait lu dans mes pensées (mamie devinait de plus en plus souvent ce que je n'osais pas lui demander), elle termina de manger la carotte, déglutit bruyamment en étirant d'un coup la tête vers le haut et dit : « Ces derniers temps, mon dentier me gênait, je l'ai donc enlevé. Je mâche très bien avec mes gencives, qui ont heureusement beaucoup durci ! » Elle ricana d'un air content en posant la main sur son crâne. « Plus le temps passe, plus je deviens robuste. »

Je l'aidai à se lever : elle semblait encore plus lourde que lors de ma visite précédente, et nous y parvînmes à grand-peine. Une fois debout, mamie Eia se brossa (si le verbe « se brosser » est le terme approprié pour décrire sa façon exaspérante de lisser l'étoffe de sa robe comme s'il s'agissait d'une tapisserie ancienne) et me sourit.

« Je savais que tu viendrais aujourd'hui, voilà pourquoi je t'ai préparé quelque chose. Tu as faim ? »

Il était onze heures du matin, et je n'avais aucun appétit, mais je mentis pour lui faire plaisir. « Oui, j'ai très faim. »

Elle rit. « Non, ce n'est pas vrai. Tu ne sais pas mentir, Élisa : tu es une bonne actrice quand il s'agit de déclamer Shakespeare, mais dans la vie réelle, tu ne sais pas mentir. »

Je pensai qu'elle se trompait, je pensai à tout ce que j'avais caché à maman. Quand on se tait, on ment d'une certaine façon : mon silence était un mensonge.

« Puisque tu n'as pas faim, allons nous promener ! »

J'acceptai avec soulagement.

Avec ses jambes courtes et lourdes, mamie marchait lentement, effectuant un petit pas après l'autre, tellement courbée que moins de cinquante centimètres séparaient son menton de l'asphalte. Curieusement, le poids de sa tête ne l'entraînait pas par terre ! Elle était sans doute trop petite pour exercer une force de gravité suffisante. À ses côtés, j'évitais de l'aider pour ne pas la mettre dans l'embarras. Lorsque nous nous étions amusées à jouer les aveugles, me rappelai-je, je n'avais rien remarqué d'insolite en elle, à l'exception peut-être de ses mains trop froides. Mais quand elle marchait ce jour-là, elle ne donnait pas l'impression de se déplacer sous l'eau ! Les choses se précipitaient. De quelle maladie pouvait-il s'agir ? Je pensai à Mathusalem : souffrait-elle de « mathusalémie » ? Existait-il une infirmité de ce genre ?

Il nous fallut une demi-heure pour parcourir la passerelle.

« On prend le vapeur ? demandai-je quand je la vis se diriger vers l'embarcadère.

– Oui. J'ai envie de vent et de mer. Et si nous allions fêter ton super-succès à Burano, Élisa ? »

J'acceptai avec joie car j'ai toujours aimé Burano, avec ses petites maisons aux couleurs pastel, mais surtout parce que cela me délivrait de l'obligation de faire à ses côtés cette promenade de fantômes en craignant de rencontrer des gens de notre connaissance.

Mamie acheta des billets et nous prîmes le vapeur. Nous dûmes descendre à l'arrêt *Fondamenta Nuove* pour changer de ligne. Mais il n'y avait pas d'inquiétude à avoir : il était tard, ce matin-là, et j'avais beaucoup de temps devant moi avant l'heure du retour. Nous avions toute la journée à notre disposition.

Nous restâmes debout dans le vapeur, en plein air : le vent nous frappait le visage, et les mouettes volaient autour de nous. J'observais mamie en cachette. Accoudée au bastingage, elle inspirait bruyamment, les yeux mi-clos. Elle semblait heureuse et dégageait une impression de vigueur. Et si elle avait l'air décrépit, elle ne paraissait pas fragile. On aurait dit qu'elle portait avec une grande dignité son long cou rêche et sombre, ses bras aux allures de colonnes et son dos voûté, comme une robe de cérémonie encombrante et luxueuse.

« Mamie, est-ce qu'il t'arrive d'aller chez le médecin ? lui lançai-je, comme si le vent qui me giflait m'avait suggéré cette idée.

– Comment ?

– Le médecin. Est-ce qu'il t'arrive d'aller le voir ? »

Elle rentra brusquement la tête dans les épaules. « Et pourquoi donc ? On va chez le médecin quand on est malade, et moi, je ne suis jamais malade.

– À l'école, on nous a parlé de médecine préventive. Pour éviter de tomber malade plus tard. »

Lentement, son cou s'allongea à nouveau. Elle éclata de rire. « Je ne tomberai pas malade, sois-en certaine, Élisa. » Elle me tapota la main que j'avais appuyée sur le bastingage. « Rien au monde ne me persuaderait d'aller voir un médecin. Ces gens-là ne comprennent rien. »

Je renonçai avec un soupir. Du reste, je n'avais pas vraiment cru que je parviendrais à la convaincre.

À Burano, mamie m'offrit un col de dentelle travaillée au fuseau. Il était grand, on aurait dit de l'écume blanche. Il évoquait les costumes des personnages de Shakespeare.

Nous achetâmes des sandwiches à la laitue et nous dirigeâmes vers une petite place entourée de maisons vert pâle, roses et jaune canari. Nous nous assîmes sur un banc, en face des arbres, au soleil. Après avoir mangé son sandwich, mamie Eia s'assoupit, me donnant ainsi une bonne occasion de l'examiner à son insu. Son long cou, un peu enfoncé dans ses épaules, montait et descendait au rythme de sa respiration. Sa petite tête se balançait légèrement. Vu de près, son crâne n'était pas lisse, mais recouvert d'une sorte de patine composée de bronze et d'écailles à l'aspect peu plaisant. De nouveau, mon cœur se serra. De nouveau, en m'asseyant en silence sur le banc, à côté d'elle, je décidai que je parlerais le soir même à maman. Il n'y avait rien de mieux à faire.

Je rentrai chez moi avant sept heures et allai chercher maman, qui arrosait les plantes sur le balcon.

« Élisa, as-tu passé une bonne journée ? Ta grand-mère a-t-elle fêté ton succès ?

– Et comment ! »

Maman continua de verser l'eau. Elle tenait dans une main le petit arrosoir, et dans l'autre une cigarette. « Je me disais que ce serait bien, cet été, d'aller toutes les deux en vacances au bord de la mer. Loin d'ici, par exemple en Ligurie. Ou à la montagne... Le problème, c'est que je n'ai pas le courage de laisser mamie toute seule, elle est trop âgée. S'il lui arrivait quelque chose pendant notre absence... je ne me le pardonnerais jamais !

– Tu as raison, murmurai-je. Mamie a besoin de moi... je crois que... je crois que... »

Cette fois, je ne me déroberais pas : je me préparais à entamer une description de tous les maux et de tous les changements dont mamie était victime quand maman posa l'arrosoir sous le robinet ouvert, aspira deux bouffées de cigarette et, en attendant que l'arrosoir se remplisse, parla sur le ton de ceux qui ont préparé ce qu'ils ont à dire.

« Nous irons en vacances, je te le promets, Élisa, mais pas cette année. Plus tard. Tu vois, j'ai beaucoup réfléchi au problème de mamie. Elle vieillit, et elle ne sera bientôt plus capable de veiller sur elle-même, comme tous les vieillards, du reste, même ceux qui n'ont pas souffert de... déséquilibres psychiques. Puisqu'elle refuse obstinément de vivre chez nous, j'ai pensé à un endroit approprié pour elle. »

Je l'écoutais, un nœud à l'estomac. Je devinais ce qu'elle allait dire.

Maman souleva l'arrosoir plein et ferma le robinet. « Aujourd'hui, poursuivit-elle, les yeux fixés sur les plantes qu'elle s'était remise à arroser, il existe des endroits merveilleux pour les personnes âgées. De véritables maisons de vacances, dans la verdure, loin du bruit, où ils sont soignés jour et nuit. Ces maisons coûtent les yeux de la tête, mais je suis prête à n'importe quel sacrifice pour mamie. Et puis, il y a sa retraite, qui nous aidera à payer les frais. J'en ai trouvé une près de Venise, dans l'arrière-pays... c'est une merveille. Si c'était possible, j'irais bien y vivre moi-même !

— Mamie Eia ne voudra jamais quitter sa petite maison à la Celestia ! murmurai-je.

— Oui, j'imagine qu'elle est toujours aussi têtue. Mais il faudra la convaincre. Bientôt, il sera trop dangereux pour elle de vivre seule... surtout dans le taudis qu'on lui a attribué en guise de maison !

— Mamie est encore forte ! Elle se débrouille très bien toute seule !

— Oui, mais... combien de temps cela durera-t-il encore ? Parfois, les vieillards s'effondrent brusquement, tu sais.

— Et si elle refuse ? demandai-je en essayant de réprimer le tremblement de mes lèvres.

– Il faut qu'elle accepte, rétorqua maman à voix basse, et tu peux m'aider à la convaincre. » L'eau déborda du pot de géraniums, mais ma mère ne sembla pas s'en apercevoir. Elle continua d'incliner l'arrosoir jusqu'à ce qu'elle l'eût entièrement vidé. « J'ai réservé une chambre pour elle avec beaucoup d'avance. Cet endroit s'appelle Villa Serena. On m'a dit qu'une place se libérerait dans moins de six mois : il faudra qu'elle accepte d'y aller, sinon elle perdra cette occasion. Nous disposons de six mois, ou presque, pour lui faire comprendre que c'est la meilleure solution pour elle. Je compte sur toi. Elle t'écoutera peut-être. Mais arrêtons de parler de choses tristes : aujourd'hui, c'est toi qu'on fête. Ce n'est pas tous les jours que ma fille préférée passe en sixième! Et si nous allions dîner à la pizzeria ? »

« Ma fille préférée » était, pour maman, une façon affectueuse de plaisanter, puisque j'étais fille unique. La seule blague qu'elle se permettait, si mes souvenirs sont bons.

Ce soir-là, je mangeai une pizza sans mon enthousiasme habituel. Je pensais à mamie Eia enfermée dans une maison de repos avec d'autres vieillards. Cela ne risquerait-il pas de lui rappeler l'asile d'aliénés? Ma grand-mère n'aimait pas être enfermée, elle n'aimait pas qu'on lui dicte son comportement, elle n'aimait pas les horaires. Non, tant que je serais en vie, mamie n'irait pas dans une maison de retraite. Soudain, son état de santé me parut moins grave que je ne l'avais cru au cours de ces derniers jours. Elle perdait ses cheveux? Sa peau bronzait trop? Elle jetait son dentier et marchait très lentement? Aucune importance! Non, mamie devait continuer à vivre comme elle l'entendait. Dans son cottage. Car c'était un cottage, pas un taudis. Je veillerais sur elle. Je m'occuperais de tout. Il faudrait me passer sur le corps pour l'obliger à faire ce qu'elle refusait.

Tandis que j'engloutissais la pizza sans en sentir le goût, j'élaborais mon plan d'action. Je décrirais mamie Eia comme une femme solide, sûre et capable de s'assumer elle-même. Ainsi, maman jugerait inutile d'envoyer une vieille dame aussi extraordinaire dans une maison de repos. Et si jamais mamie avait besoin d'aide, je serais là, je prendrais tout en charge. Je la protégerais envers et contre tout. Pour toujours.

J'avalai la dernière bouchée et commençai.

« Regarde ce que mamie Eia m'a fait ces jours-ci ! » m'exclamai-je en tirant un petit paquet de la poche de mon jean. Heureusement, il n'y avait pas d'inscriptions sur le papier de soie bleu pâle. Je montrai à maman le petit col en dentelle au fuseau.

« Tu dis bien qu'elle l'a fait elle-même ? C'est impossible !

– Elle vient juste de le terminer. Elle y travaillait aussi pendant que je lui tenais compagnie. »

Mamie, mamie, comment peux-tu affirmer que je ne sais pas mentir ?

Ma mère écarta sa cigarette pour saisir la délicate écume de dentelles. Elle la tourna et la retourna entre ses doigts, l'approcha de son visage pour mieux l'examiner. « Ce col est magnifique, on dirait que c'est l'œuvre d'une brodeuse professionnelle ! Un travail tellement fin… je ne pensais pas qu'elle voyait encore si bien à son âge !

– Elle voit bien, et comment! Elle voit mieux que toi et moi réunies!»

Le visage stupéfait de maman m'annonça que le premier pas vers la victoire avait été accompli.

Après la promenade à Burano, il se révéla impossible de sortir avec mamie Eia.

Non seulement nous marchions en comptabilisant les centimètres, et non les mètres parcourus, mais les gens commençaient à s'arrêter pour l'observer. Mamie était de plus en plus bronzée et lourde. Et de plus en plus voûtée : son dos était désormais parallèle au sol. Cela et son effroyable lenteur mis à part, elle se portait très bien. Elle respirait profondément et souriait souvent. Peu lui importait d'être lente.

Cependant, au cours des derniers temps, mamie avait remarqué la curiosité qu'elle éveillait. Nous nous limitions donc à des promenades dans le potager et dans le jardin où la végétation dense nous protégeait des regards indiscrets.

De plus, je m'aperçus qu'elle était devenue végétarienne, voilà pourquoi je cessai de lui apporter des *sarde in saor*[1] ou d'autres plats à base de viande ou de poisson. Je cueillais des cerises sauvages pour elle : elle en était plus friande que moi. À présent, elle se nourrissait essentiellement de légumes crus et de fruits. Était-ce, avec le soleil, la cause de son teint sombre ?

Il arrivait souvent à mamie de manger des carottes tout

1. Sardines fumées.

juste ramassées dans son potager : elle se contentait de les nettoyer en les frottant un peu sur sa robe qui, hélas, n'était plus aussi blanche qu'autrefois.

Je pris l'habitude d'aller chercher sa retraite au bureau de poste. Mamie avait établi une procuration à mon nom ; si l'on excepte la surprise de l'employé, le premier jour, les choses se passèrent toujours très bien. Avec cet argent, je faisais toutes les commissions dont elle avait besoin. Je nettoyais sa maison. Je lavais son linge. Parfois, un voisin m'arrêtait pour demander comment mamie se portait et pourquoi on ne la voyait plus dans le quartier. Alors, je répondais : « Bien, elle est occupée. Elle ne veut pas être dérangée parce qu'elle peint », et je partais en courant. Heureusement, mamie ne s'était jamais vraiment liée d'amitié avec les voisins.

Quant à maman… Je savais qu'un col en dentelle ne suffirait pas à acheter la liberté de mamie. Heureusement, ma tirelire était bien pleine : j'achetai d'autres broderies, des masques, des biscuits élaborés, de petites aquarelles « sortant tout droit des mains d'Eia » pour les soumettre jour après jour au jugement de maman comme autant de preuves d'une parfaite maîtrise du monde. Ses yeux s'agrandissaient de perplexité et d'admiration, elle cessa de mentionner Villa Serena pendant le reste de l'été.

CHAPITRE VII

Durant les vacances d'été, maman et moi ne quittâmes pas Venise. La ville était plongée dans une chaleur torride. Des masses compactes de touristes aux visages défaits avaient envahi les ruelles au point de les boucher. Des rafales d'odeurs étranges montaient des canaux, et les chansons napolitaines des gondoliers, qui se glissaient sous les ponts avec leurs embarcations pleines de Japonais, se répandaient dans l'air poisseux.

J'allais chez mamie Eia presque tous les jours, en fin d'après-midi, en revenant du Lido, la peau des doigts ridée et blanche à force d'être restée dans l'eau.

Chaque fois, ou presque, je la trouvais dans le hangar, accroupie par terre avec ses toiles. Tout l'été, elle peignit comme une forcenée : sa vie semblait en dépendre. Ses tableaux étaient de plus en plus grands : je lui avais acheté de nouvelles toiles avec l'argent de sa retraite, puisque je consacrais le mien à l'achat d'objets d'artisanat raffinés. Tous les tableaux de mamie représentaient des paysages marins, très semblables les uns aux autres. Les couleurs dominantes n'avaient pas changé : bleu, turquoise et gris. On n'y voyait ni figures humaines, ni animaux, à l'exception de quelques oiseaux en vol. Les champignons qui surgissaient des flots étaient souvent dédoublés, comme s'ils se reflétaient dans l'eau. Parfois, les mystérieuses masses sombres et bombées l'emportaient. Et il arrivait qu'un soleil rouge feu éclaire ces paysages fantastiques.

« Quelle est cette île ? demandais-je. Tu le sais, maintenant ?

– Al-da-bra », répondait-elle en posant la main sur son crâne et en ricanant, comme si elle avait prononcé une formule magique tout juste inventée.

Sa voix était si basse que je n'étais jamais certaine d'avoir bien compris ses paroles. Je pensais que c'était sa façon de dire : « Qui peut le savoir ? »

Un après-midi – nous étions déjà en septembre –, je fus incapable de dénicher mamie Eia. Elle n'était pas dans le hangar, elle n'était pas dans le potager, elle n'était pas chez elle. Était-elle sortie en s'éloignant toute seule de la Celestia ? Cela me parut improbable. Où pouvait-elle donc bien être ?

Je l'appelai en flânant autour de la maison, puis j'entrai boire un verre d'eau. À l'exception de quelques feuilles de laitue entamées et laissées sur le sol, la cuisine déserte était parfaitement bien rangée. Soudain, j'entendis un petit bruit s'échapper de la chambre. Je m'y rendis : la pièce était vide.

« Mamie », murmurai-je sur le seuil, un peu effrayée.

J'entendis à nouveau le même bruit. On aurait dit que quelqu'un grattait.

Je regardai le lit : c'était de là que provenait le bruit. Il s'agissait d'un meuble ancien, en bois, si haut que j'avais du mal à y grimper. Un chat sauvage s'était-il caché dessous ?

Je m'approchai et me baissai.

« Mamie ! »

C'était elle. Une grosse boule recroquevillée sur elle-même. Elle avait dû s'endormir sous le lit et était en train de se réveiller. Sa longue robe, du même gris que les nuages désormais, était toute froissée : enroulée grossièrement autour de son corps, elle dénudait ses grosses jambes. Malgré la faible lumière, je constatai combien celles-ci étaient bronzées et rugueuses.

« Mamie, pourquoi dors-tu sous le lit ? lançai-je bêtement.

– On y est tellement bien », marmonna-t-elle à voix basse, manifestement peu décidée à sortir.

Ses murmures étaient si rauques que j'eus des difficultés à les comprendre.

Je me mordis les lèvres et me demandai s'il était encore sage de protéger mamie en cachant ses extravagances aux yeux d'autrui. Qu'est-ce que je faisais ? Pourquoi ne courais-je pas avertir maman ?

Mais au lieu de ça, je dis : « Est-ce que je peux te rejoindre ? » Puis, sans attendre sa réponse, je me glissai sous le haut sommier, à côté d'elle. Je la serrai contre moi sans rien ajouter. Mamie passa son bras droit autour de ma taille.

« Ça ressemble à une petite maison, murmurai-je au bout d'un long silence.

– Comment ?

– Une petite maison.

– Ah oui, on se sent protégé, pas vrai ? » La voix de mamie était non seulement basse, mais aussi très enrouée, difficilement compréhensible.

« Tôt ou tard, on va devoir sortir.

– Pourquoi ?

– Pour manger ! »

Nous chuchotions comme deux petites filles qui préparent un mauvais tour à jouer aux adultes.

Enfin, mamie se décida à avancer à quatre pattes. Il lui fallut beaucoup de temps, et quand l'opération fut achevée, je la suivis. Je me redressai et l'aidai à se relever. Plus tard, je l'obligeai à ôter sa robe pour me permettre de la laver, mais elle ne voulut pas en enfiler une autre, elle attendit, enroulée dans un drap. Et quand sa robe fut sèche, elle refusa de la remettre, prétendant préférer le drap.

À partir de ce jour-là, quand je ne voyais pas mamie, j'allais regarder sous le lit. Pour une mystérieuse raison, c'était devenu son endroit favori pour faire un somme. Pas sur le lit, mais en dessous, là où l'on se sent protégé.

Au fond, me disais-je pour me rassurer, les extravagances de mamie étaient totalement inoffensives. Et si elle aimait les draps, pourquoi perdre du temps et de l'énergie à essayer de l'en détourner ? Mais quand je m'aperçus que ses mains n'étaient plus capables de tenir le moindre objet, tant ses doigts s'étaient épaissis, je lui conseillai d'aller voir un médecin. Un médecin de son choix. « Il s'agit peut-être d'une forme d'arthrite, dis-je. L'arthrite se soigne !

– Mais je ne souffre pas! Sans compter que c'est pratique pour marcher à quatre pattes! Je suis plus lourde maintenant, et ça m'est donc utile, rétorqua-t-elle de sa voix éraillée. Je n'ai plus besoin de pinceau pour peindre, c'est beaucoup mieux avec les doigts, et j'arrive encore à porter de la nourriture à ma bouche. Le reste n'est pas important!

– Tu arrives à porter de la nourriture à ta bouche, mais sans couteau ni fourchette.

– Et alors, qu'est-ce que ça peut faire?

– Et puis, c'est moi qui dois visser les couvercles de tes pots de peinture pour éviter qu'elle ne sèche. Tu les laisses toujours ouverts.

– Je sais que tu aimes t'en charger, Élisa, et je suis heureuse comme ça. Je te l'ai dit, les médecins me font peur. Ils veulent décider de tout, ils ont une façon de te dire "ceci est normal, mais pas cela" qui ne me plaît pas! Ils croient savoir ce qui est bon pour toi, mais… » Suivit un sifflement rauque, irrité et incompréhensible.

Je compris qu'il était inutile d'insister. Il valait mieux laisser tomber. Je ne pouvais demander conseil à personne : si je racontais à maman le millième des extravagances de mamie, elle la ferait enfermer sur-le-champ! Si je m'adressais à un médecin… en admettant que j'en trouve un (l'oncle de Francesca, par exemple, était pédiatre), que lui dirais-je? Écoutez, docteur, ma grand-mère se transforme en quelque chose qui n'a rien à voir avec un être humain… en je ne sais pas trop quoi. Elle a pris l'apparence du bronze, elle marche à quatre pattes, mange du chou cru, je l'ai même vue boire dans une cuvette en aspirant l'eau par le nez. À tous les coups, l'oncle de Francesca appellerait la vedette-ambulance pour qu'elle m'emmène, moi, Élisa. Je me dis que mamie ne courait pas de risques tant que j'étais à ses côtés. Mais si elle devait se plaindre, si elle devait avoir des douleurs ne serait-ce qu'une seule fois, même des petites douleurs de rien du tout, je courrais le rapporter à quelqu'un.

La veille de la rentrée scolaire, je compris enfin en quoi mamie Eia s'était changée. Je le compris quand, en entrant dans le hangar, je remarquai qu'elle avait jeté le drap dont elle ne se séparait pas depuis qu'elle avait renoncé aux vêtements.

Mamie Eia peignait toute nue, accroupie par terre comme d'habitude. Mais le terme « nue » ne traduit pas bien la réalité de ce que je vis, car comment affirmer qu'une énorme tortue est nue ? Il n'existe pas, au monde, de créature moins nue !

En l'absence du drap, je me rendis compte qu'une carapace lui avait poussé sur le dos : une véritable cuirasse composée de grosses plaques grises. Quand, plus tard, je la caressai, je mesurai combien elle était dure. Désormais, l'imagination la plus effrénée ne suffisait plus à qualifier de jambes les énormes pattes qui en sortaient. C'était également valable pour les bras, privés de poignets, qui se terminaient par cinq ébauches de doigts aux ongles impressionnants. Quant à la tête et au nez… plus de doute : c'étaient ceux d'une grosse tortue. Des narines énormes, des petits yeux noirs et étincelants, une ouverture hésitant entre un bec et une bouche sans lèvres en guise de mâchoires, la peau terriblement ridée. Seule une petite imbécile comme moi pouvait avoir négligé tout ce temps-là la véritable portée d'une telle transformation.

Mamie mesurait près d'un mètre de haut et un mètre dix de long. Les larges plaques de sa carapace avaient une forme pentagonale, elles étaient bombées au centre et séparées par une fine ligne blanche comme dessinée au pinceau. Les plaques ventrales étaient plus serrées, elles se relevaient légèrement à l'endroit où le cou dépassait. En revanche, elles se baissaient pudiquement du côté de la queue. Ses grosses pattes étaient recouvertes, elles aussi, d'écailles pentagonales. Son cou était long et sa tête rétractable au point de disparaître sous sa carapace. Naturellement, je n'arrivais pas à voir son ventre, mamie étant incapable de se mettre debout, pas même avec mon aide.

Je voulais savoir ce que mamie Eia était devenue exactement. Je voulais savoir si elle avait des semblables dans la nature. Je possédais un petit ordinateur, que maman m'avait offert pour mes dix ans. Je décidai de commencer mes recherches par là. On nous avait appris à utiliser Internet à l'école. Je me connectai. Je tapai « tortue ». Je naviguai plus d'une heure. J'avais fini par sélectionner deux sortes de tortues qui pouvaient convenir au cas de mamie : la tortue géante des Galápagos et celle, presque identique, d'Aldabra.

Aldabra! N'était-ce pas le mot que mamie avait bredouillé? Elle avait prononcé quelque chose de ce genre, et j'avais pensé qu'il s'agissait d'une formule magique. Ça l'était peut-être. C'était peut-être ce mot qui l'avait transformée…

Non, me dis-je. La transformation avait débuté avant. Bien avant.

Je tapai « Aldabra » et trouvai le site.

Il y avait une photo aérienne. Je cliquai pour l'agrandir. Les petites îles d'Aldabra enfermaient une lagune dans un anneau ovale.

Sur une autre photo, je reconnus les champignons de mamie Eia. Il s'agissait de récifs de corail qui surgissaient des profondeurs de la mer comme des pinacles que l'eau avait érodés à la base.

Je commençai à lire. Aldabra fait partie des Seychelles, c'est un lointain atoll de l'océan Indien, le plus grand atoll d'origine volcanique du monde. Je lus qu'il était devenu un sanctuaire, un refuge protégé où l'on veillait sur les tortues d'Aldabra, une race en voie d'extinction. *Geochelone gigantea*, tel est le nom de la créature préhistorique qui parcourait la planète avant même l'arrivée des dinosaures.

Je tapai alors *Geochelone gigantea* et tombai sur un tas d'informations en anglais. Je m'emparai de mon dictionnaire et me mis patiemment à traduire. Ces tortues possèdent un long cou rétractable qui les aide à chercher de la nourriture, et leurs membres – également rétractables – ont la forme de pattes d'éléphant, plus larges à la base. Je continuai de lire avec une excitation croissante. Les mâles atteignent parfois un poids de trois cents kilos, les femelles sont un peu plus légères. Certains spécimens vivent jusqu'à deux cents ans. Ce sont des animaux herbivores, et puisque leur nourriture ne se déplace pas, ils n'ont pas besoin de la poursuivre ; de plus, les adultes n'ont pas de prédateurs naturels, et il leur est donc inutile de fuir. S'il le faut, ces tortues se nourrissent de charognes, sans négliger celles de leur propre espèce.

J'avais le souffle coupé : tout coïncidait ! Pour une raison qui m'échappait, mamie s'était changée en une *Geochelone gigantea*. Pour combien de temps, je l'ignorais, mais je soupçonnais que ce fut pour toujours.

Je quittai Internet et éteignis l'ordinateur, même si mes recherches n'étaient pas achevées. Cela me suffisait pour le moment, j'en avais le vertige. Je voulais réfléchir. Par quel mystère cela s'était-il produit ? Et pourquoi ? Je le découvrirais peut-être en interrogeant mamie. Si tant est que cela fût possible : sa voix n'était plus qu'un sifflement rauque, et tous ses mots se confondaient. Mais je n'avais pas le choix, je devais aller la voir et lui demander : « Mamie, pourquoi es-tu devenue une tortue géante ? »

CHAPITRE VIII

Quand j'arrivai à la Celestia, la tortue était dans le potager. Elle était tellement absorbée par les choux qu'elle ne remarqua même pas ma présence ; elle les arrachait directement à l'aide de sa bouche, sans plus se servir de ses pattes. Après en avoir tranché un bout de ses mâchoires coupantes, elle renversait la tête en arrière et, d'un geste brusque – le seul geste qu'elle était capable d'accomplir –, elle l'engloutissait brusquement. La bouchée était visible à l'intérieur de son cou : un petit renflement qui descendait.

Je m'approchai en la saluant gaiement, comme s'il n'y avait rien de plus naturel au monde que de trouver sa propre grand-mère en train de brouter des choux.

Elle se retourna avant que je ne la rejoigne, étirant son cou dans ma direction. Ses pattes massives se dressèrent et sa lourde carapace se souleva en un mouvement doux et particulièrement vertical, sans hésitation, qui avait la précision d'un monte-charge.

Une fois stabilisée à sa hauteur maximale, elle commença

à avancer lentement vers moi, cligna les paupières et dit quelque chose.

Avec horreur, je m'aperçus que sa voix n'avait plus rien d'humain. Je ne parvenais pas à la comprendre.

« Qu'est-ce que tu as dit ? demandai-je en faisant un pas vers elle.

– Ouh to arfé », bredouilla mamie, toujours dressée sur ses pattes.

Je me plaçai à ses côtés en essayant de cacher mon trouble. Je lui caressai le cou. Sa peau était flasque, ni chaude ni froide. Je sentis son haleine au parfum de frangipane, et cela me calma.

« Mamie, je n'arrive pas à saisir ce que tu dis. Peux-tu l'écrire par terre ? » J'espérais qu'elle me comprendrait, au moins. De ses petits yeux liquides, elle me lança un regard perplexe. Je répétai la question plus fort, me rappelant qu'elle était également devenue un peu sourde ces derniers temps.

Cette fois, elle sembla comprendre mes paroles. Elle s'écarta de l'endroit où elle se trouvait pour chercher un terrain sans herbe. Je la suivis pas à pas. Une fois sur la terre nue, elle se baissa en appuyant tout le poids de sa carapace sur le sol pour avoir les pattes libres, puis elle entreprit de racler les gros ongles de sa patte avant droite sur la terre. Elle y mit une éternité, notamment parce que le terrain n'était pas parfaitement plat. J'attendais, penchée.

« C'est un S majuscule, n'est-ce pas ? » demandai-je.

Elle acquiesça en tournant sa petite tête vers moi avant de continuer.

« SALUT ELISA » puis-je lire un quart d'heure plus tard. Les lettres étaient toutes tordues, mais reconnaissables. « Salut mamie », dis-je en me baissant pour serrer son long cou de serpent. Toucher cette peau étrangère, qui ne ressemblait pas à de la peau, m'impressionnait encore. Dans un coin de mon cœur, je nourrissais l'espoir absurde qu'un baiser la transforme en être humain, comme le crapaud du conte qui se transforme en un magnifique prince. Il me suffisait qu'elle se change en grand-mère, mais cela ne se produisit pas.

La tortue rétracta son cou en poussant un long soupir. C'était la première fois que je l'entendais faire. On aurait dit le souffle produit par la mer quand une grosse vague jaillit comme un geyser d'une cavité entre les écueils, avec un vacarme de dragon en colère. Voilà, le son qu'avait émis mamie Eia évoquait le remous de la mer, un « w-ou-f-f » prolongé et profond.

« Tu pourrais écrire sur des feuilles de papier en utilisant tes couleurs, mais il faudrait trop de papier, dis-je en masquant ma frustration. Ce serait plus simple avec du sable. Demain, c'est dimanche, je vais au Lido. Je te rapporterai du sable.

– BONNE IDÉE, écrivit-elle en vingt minutes, au bout desquelles elle me lança une sorte de sourire.

– Comment vas-tu ? lui demandai-je.

– TRÈS BIEN », fut sa réponse en lettres majuscules.

Le lendemain, je m'exécutai. Je demandai avec insistance à maman de m'accompagner au Lido, où je ramassai deux sacs en plastique de sable propre. Ces sacs étaient si lourds que je n'aurais jamais pu les rapporter chez moi si j'y avais ajouté ne serait-ce qu'un grain de plus.

« Qu'est-ce que tu fais avec tout ce sable ? m'interrogea maman.

– C'est pour mamie. Je crois qu'elle veut construire un petit jardin japonais. Tu sais, avec des pierres et du sable ratissé. »

Maman cligna des yeux. « Mamie Eia ne cesse de me surprendre.

– Elle est pleine de fantaisie, n'est-ce pas ? dis-je d'une voix heureuse.

– Et comment ! »

J'apportai les sacs à mamie le soir même en avançant péniblement sous leur poids. Une fois chez elle, je saluai la tortue, qui peignait dans l'atelier en appliquant les couleurs à l'aide de ses grosses pattes.

Je décidai d'aplanir le sable à l'intérieur du hangar. Afin qu'il ne se répande ni ne se perde sur le terrain, je construisis, à l'aide de vieilles planches, un bord bas qui délimiterait la zone dans laquelle je verserais le sable. Pendant tout le temps qu'il me fallut pour mener à bien ce travail, la tortue, qui avait arrêté de peindre, resta à mes côtés, attentive, vigilante, prête à me donner un conseil à sa façon, c'est-à-dire en poussant du nez ma main un peu plus haut, ou un peu plus bas, pour que j'évite les nœuds du bois quand je devais y planter un clou. Quand l'enclos fut prêt, j'y déversai le sable des deux sacs et l'aplatis parfaitement de la main.

« Voilà. Écris-moi quelque chose », dis-je.

La tortue s'exécuta immédiatement (façon de parler).

Cette fois, elle n'utilisa pas sa patte, mais son nez. Elle se servait de son long cou flexible comme d'un bras. Son bec laissait un signe net sur le sable doux, bien plat. L'opération se déroula beaucoup plus rapidement que la fois précédente, dans le potager.

« JE T'AIME, écrivit-elle. AS-TU ENVIE DE ME RÉCITER OPHÉLIE ?

– Oui, mais qui me donnera la réplique ? »

J'effaçai l'inscription, lissai à nouveau le sable de façon qu'elle eût assez de place pour répondre : ses majuscules étaient vraiment grandes.

« MOI. JE PEUX RÉCITER MOI AUSSI. »

Au fond, rien n'avait changé. J'interprétai le rôle d'Ophélie, tandis que la voix d'Hamlet s'échappait de la gorge de mamie, déformée et méconnaissable. Mais quelle importance cela avait-il ? Je savais mon texte par cœur, et les inflexions étaient bonnes. Puis elle récita les répliques de Polonius, et son ton se modifia, il se fit mielleux, lourd de trames cachées.

Cela me rassura beaucoup. Tant que la tortue avait l'esprit et le talent de mamie Eia, je me fichais pas mal du reste.

J'effaçai à nouveau l'inscription et demandai de ma voix la plus forte et la plus claire : « Mamie, pourquoi t'es-tu transformée en tortue ? Sais-tu que tu es une *Geochelone gigantea* des Seychelles ? Pourquoi ?

– JE NE SAIS PAS. C'EST PEUT-ÊTRE À CAUSE DU PEIGNE EN ÉCAILLE », fut sa réponse.

Le peigne édenté qu'elle avait trouvé près du banc ! Si

cet objet avait transformé mamie, on pouvait peut-être annuler le sortilège en l'utilisant d'une autre façon. De plus, le fait de connaître la cause de ce qui s'était passé, l'origine de tout, me tranquillisait. S'il y a un début, il y a aussi une fin.

« Il est magique ? demandai-je sur un ton fébrile.

– JE NE CROIS PAS. MAIS EN LE VOYANT J'AI PENSÉ AUX TORTUES. ET JE N'AI PLUS ARRÊTÉ D'Y PENSER.

– Et le fait de penser aux tortues t'a transformée ?

– C'ÉTAIENT DES PENSÉES PARTICULIÈRES. TRÈS INTENSES. SI INTENSES QUE JE NE SAVAIS PAS QUE C'ÉTAIENT DES PENSÉES.

– Ah. »

Le peigne n'était donc pas magique. Il lui avait seulement donné l'idée de sa nouvelle métamorphose. La première image. Et Mamie avait puisé au fond d'elle-même la force de se transformer. Malgré ma déception, je décidai de mettre la main sur le peigne qui avait tout déclenché.

« Où est-il ? demandai-je.

– SOUS LE LIT JE CROIS. »

J'allai le chercher et regagnai le hangar. Je le tournai et le retournai entre mes doigts. C'était un objet humble, cassé, inutile.

« Penses-tu pouvoir redevenir celle que tu étais avant, mamie ?

– QUOI ? »

J'utilisai la partie plate du peigne pour effacer l'inscription sur le sable et répétai plus fort : « Peux-tu redevenir une femme ?

– JE NE VEUX PAS REDEVENIR UNE FEMME. MES PENSÉES SE SONT APAISÉES. ÇA ME PLAÎT.

– Mais... qu'est-ce que tu éprouves?

– DIFFICILE À DIRE. JE ME SENS PRESSÉE VERS LE BAS ET C'EST DE LÀ QUE MONTE MA FORCE.

– De la terre?

– OUI. DE LA TERRE. UNE GRANDE FORCE ME PÉNÈTRE. JE POURRAIS SOULEVER LE MONDE. »

Elle fit un dessin pour illustrer ce concept : une tortue souriante avec une boule sur le dos. Cette boule, c'était le monde.

Elle attendit que je lisse à nouveau le sable pour écrire : « ET PUIS JE SUIS JEUNE MAINTENANT ! »

Je me rappelai que les *Geochelone gigantea* vivent jusqu'à deux cents ans. Mamie avait quatre-vingts ans : c'était une jeune tortue ! Bon, pas vraiment une gamine, mais elle avait encore toute la vie devant elle.

J'effaçai la phrase à l'aide du peigne en soupirant. « Mais pourrais-tu redevenir celle que tu étais avant ? » demandai-je une nouvelle fois.

Elle secoua sa petite tête et poussa un de ses soupirs abyssaux. Elle paraissait impatientée par mon insistance, mais c'était peut-être juste une impression.

À la maison, après avoir montré à maman un béret en coton rouge que mamie Eia avait « réalisé au crochet en deux jours » (en réalité, il m'avait coûté tout mon argent de poche de la semaine), je m'enfermai dans ma chambre pour reprendre mes recherches sur Internet. Je voulais obtenir d'autres renseignements sur les *Geochelone*.

Je lus des articles consacrés à leurs habitudes. J'appris ainsi qu'elles peuvent boire par les narines. Je me souvins de l'avoir vu faire à mamie Eia avant que sa transformation ne fût achevée. J'appris aussi qu'elles sont fertiles jusqu'à un âge avancé. Mamie serait donc en mesure de procréer si elle rencontrait un mâle de sa race ! De nombreuses petites tortues seraient mes grand-tantes.

En continuant, je découvris des choses bizarres : quand une femelle creuse un trou pour y déposer ses œufs, elle y urine copieusement afin que le terrain se ramollisse. J'imaginai mamie en action. Curieusement, on ne se sent pas trop indiscret avec les animaux, même quand on observe leurs gestes les plus intimes. J'appris que la plus vieille tortue du monde est âgée de deux siècles, qu'elle s'appelle Esmeralda et que c'est un mâle.

Je poursuivis ma navigation, puis je passai aux e-mail et tombai sur un *news-group* consacré aux amants des animaux.

Je me débrouillais très bien sur Internet à l'école, et il m'était déjà arrivé de dialoguer avec des *news-groups*, mais seulement avec les passionnés de musique rock. Je n'eus donc aucune difficulté à me présenter. Je posai ma question.

« Qui s'intéresse aux tortues géantes ? Pour être plus précise, qui connaît les *Geochelone gigantea* d'Aldabra ? » Protégée par l'anonymat, j'estimai que je ne courais aucun risque, au point que je signai ce message de mon prénom.

Quand j'allai contrôler mon courrier électronique deux heures plus tard, je trouvai la réponse d'un certain Max.

« Salut Élisa, pourquoi cherches-tu des renseignements

sur les tortues d'Aldabra ? Il y a des années que j'essaie d'en acheter une pour mon zoo privé. Car je possède un reptilarium, c'est-à-dire un zoo de reptiles. Crocodiles, serpents, iguanes et varans. J'ai déjà trente espèces différentes de tortues, aussi bien aquatiques que terrestres, mais je n'ai pas encore pu mettre la main sur leur reine. »

« Pourquoi n'as-tu que des reptiles ? » tapai-je, soudain intriguée. Avant de lui confier que je possédais une tortue géante d'Aldabra, je voulais savoir de quel genre de type il s'agissait.

Je reçus bientôt une réponse curieuse : « N'as-tu jamais rien collectionné, Élisa ? L'envie de collectionner naît d'un besoin d'achèvement. J'ai commencé, tout petit, par une collection de lézards vivants. Pas des araignées, ni des fourmis. Seulement des lézards. C'est ainsi qu'on commence. Tu te passionnes pour certaines choses et tu veux les posséder sous toutes les formes que la nature leur a données. Si tu les possèdes, tu les domines. Un exemplaire pour chaque nuance de couleur, pour chaque différence, même la plus petite. Quand un élément de la même espèce te manque, tu n'as qu'une seule envie : l'obtenir. Tu deviens un spécialiste. Et puis tu t'aperçois que tu as presque tout, alors tu élargis légèrement ton champ d'intérêt, en l'étendant à ce qui lui ressemble. C'est ainsi que je suis passé aux autres reptiles. Chercher la diversité dans la similitude, trouver les égaux, les points de contact. Étendre, compléter, atteindre la totalité absolue. C'est là que réside le bonheur, Élisa. »

« Moi, je n'ai jamais rien collectionné, écrivis-je avec perplexité. Pas même les images. Mais je voudrais en savoir plus sur les *Geochelone gigantea*. » Je fus soudain prise du désir de me confier en lui révélant une partie de mon secret. Au fond, c'était un inconnu. Je ne risquais rien.

« Parce que j'en possède une », ajoutai-je avant d'envoyer le message.

J'attendis le lendemain. C'est alors que je trouvai : « Élisa, ce n'est pas possible. Qui es-tu ? Une chercheuse ? Une scientifique ? »

« J'ai dix ans », avouai-je car je savais que je serais incapable de jouer la scientifique s'il me demandait des renseignements.

Un message arriva une heure plus tard. « Une fillette ! Alors, tu as une tortue plus petite, sans doute une tortue rayonnée, une tortue boueuse jaune, mais pas une *Geochelone gigantea* ! »

« Si, j'ai bien une *Geochelone* d'Aldabra, et elle est immense. Elle mesure quatre-vingt-dix centimètres de haut, et plus d'un mètre de long. Je ne connais pas son poids exact, mais je dirais qu'elle pèse environ cent cinquante kilos », tapai-je.

« Décris-la-moi ! » fut la réponse que je lus un peu plus tard.

Je compris qu'il ne me croyait toujours pas, voilà pourquoi je me lançai dans une description soignée de l'aspect physique et des habitudes de mamie Eia, sans négliger le moindre détail, à l'exception naturellement de ce qui concernait sa nature humaine.

« En admettant que tu dises la vérité, comment es-tu entrée en possession d'un tel animal ? » écrivit Max sans perdre de temps. À l'évidence, il se tenait devant son ordinateur, tout comme moi.

« Je l'ai trouvée. »

« Où ? Impossible ! »

« Je l'ai trouvée près de chez moi », répondis-je en m'inquiétant un peu du pli que prenait notre dialogue.

« Si c'est vrai, elle a dû s'échapper d'un zoo. »

« Oui, sans doute. Ou plutôt, j'en suis sûre. »

« C'est étonnant ! Près de quel zoo habites-tu ? Puis-je venir la voir ? Tu me la vends ? S'il s'agit vraiment d'une *Geochelone gigantea*, je suis prêt à te la payer royalement. Où vis-tu ? »

« Je n'ai aucune envie de la vendre ! » écrivis-je, plutôt agacée.

« Mais où habites-tu ? Où l'as-tu trouvée ? Je le répète : je tiens beaucoup à avoir une tortue de ce genre. »

Quelque chose m'empêcha de lui dire que je vivais à Venise. « Peu importe où je vis, tapai-je. Je l'ai, un point c'est tout. Elle n'est pas faite pour vivre en cage. Elle n'appartient à aucune collection et je ne la vends pas. » J'interrompis la connexion sans attendre de réponse. J'éclatai de rire en pensant à la tête qu'il ferait si je lui révélais que la tortue en question n'était autre que ma grand-mère.

CHAPITRE IX

Je m'habituais tout doucement à ma nouvelle grand-mère. Sans plus m'adresser à Max, j'obtins sur Internet d'autres renseignements utiles, tels que le meilleur régime pour une *Geochelone* en captivité. J'achetai plusieurs paquets de germes d'alfa, ainsi que des pommes, des oranges et des bananes en grande quantité pour les vitamines dont la tortue avait besoin. J'appris qu'il lui fallait absorber beaucoup de fibres pour fortifier sa carapace et ses ongles, avaler des œufs durs pour les protéines (mamie les mangeait d'une seule bouchée, coquille comprise).

Je découvris qu'elle avait une véritable passion pour les aliments rouges et orange : quand je lui tendais une carotte ou une tranche de pastèque, ses petits yeux brillaient de plaisir. Un jour, je la trouvai plongée dans une flaque d'eau, sur le point de s'endormir. Un autre jour, je m'aperçus qu'elle s'était roulée dans un petit bourbier. Quand je lui demandai pourquoi elle s'était salie de la sorte, elle écrivit que c'était pour se protéger des moustiques, particulièrement pénibles à cette période.

Bref, le comportement de mamie Eia se modifiait rapidement. Seuls la rattachaient encore à sa nature humaine les tableaux qu'elle peignait, les petits messages qu'elle écrivait à mon intention dans le bac à sable, et les rôles de Shakespeare qu'elle interprétait (à sa façon mais avec beaucoup d'emphase) pour me donner la réplique.

Un jour, cependant, elle m'étonna. Je vis dans le bac à sable l'inscription suivante : « VALENTINA EST REVENUE ». Pleine de doutes, j'allai à l'endroit habituel, au pied de la coque enfoncée et creusai. Non sans stupéfaction, je déterrai une bague avec un vieux camée dont le dessin représentait un arbre minuscule chargé de fruits. C'était la bague de fiançailles de mamie Eia, je la reconnus immédiatement. Elle l'avait perdue deux ans plus tôt en travaillant dans le potager. Et voilà que la lapine rousse l'avait retrouvée et qu'elle l'enterrait pour moi. Un cadeau aussi important ! J'étreignis le long cou de la tortue et frottai mon visage contre sa tête ridée.

« N'es-tu pas triste de ne plus pouvoir la mettre, mamie ? » lui demandai-je en accrochant la bague à la chaînette en or que je portais autour du cou, afin de la garder jusqu'au jour où elle cesserait d'être trop large.

Elle se dirigea vers le bac à sable.

« JE SUIS TROP OCCUPÉE À DÉCOUVRIR CE QUE SIGNIFIE ÊTRE DURE DEHORS ET MOLLE DEDANS POUR AVOIR DES REGRETS, écrivit-elle.

– Et qu'est-ce que cela veut dire, mamie ?

– QUE SI TU ES DURE DEHORS, TU PEUX ÊTRE AUSSI MOLLE QUE TU LE VEUX DEDANS », fut sa réponse.

Comme je ne posais plus de questions, mamie effaça l'inscription d'un geste de la patte avant d'ajouter : « JE SUIS TRÈS HEUREUSE, ELISA. MAIS JE SUIS NOSTAL-GIQUE.

– Tu es si seule ! » m'exclamai-je à voix basse.

J'avais compris ce que représentaient les taches bombées et sombres de ses tableaux. C'étaient des créatures de son espèce.

La tortue ne m'entendit pas.

Le lendemain, nous étions dans le hangar, mamie venait juste de peindre le énième tableau de son île. Je dois dire qu'elle ne peignait pas mal, pour une tortue, depuis qu'elle s'était décidée à utiliser son bec, au lieu de sa patte. Ses œuvres avaient acquis plus de vigueur, ses couleurs étaient plus résolues, ses lignes plus nettes. Ses toiles avaient du caractère. D'après moi, elles n'auraient pas fait piètre figure à côté des tableaux qu'on exposait à la Biennale. Mais je ne m'y connaissais pas en art, et à l'époque je n'étais allée qu'une seule fois à la Biennale.

« Pourquoi es-tu nostalgique, mamie ? » demandai-je en reprenant la conversation de la veille.

Cette fois, elle réfléchit un moment avant de répondre. Elle lorgna de ses petits yeux scintillants le tableau qu'elle avait tout juste achevé.

« ALDABRA ME MANQUE, écrivit-elle en lettres énormes.

– Tu n'as jamais vu Aldabra. Je parie que tu ignores même où cette île se trouve.

– OÙ SE TROUVE-T-ELLE ? TU LE SAIS ?

– Dans l'océan Indien, répondis-je. Comment peut-on

éprouver de la nostalgie pour un endroit où l'on n'est jamais allé ?

– C'EST COMME ÇA, fut sa seule réponse, accompagnée d'un de ses profonds souffles marins.

– Il n'y a rien à Aldabra, lui expliquai-je. Rien de rien. Je l'ai vu sur Internet. Ce n'est qu'un atoll. Les seules plantes qui y poussent sont des buissons arides et épineux, ainsi que quelques mangroves. Le reste, c'est de la roche noire, abrasive. Des saillies aussi coupantes que des couteaux. Ça ne doit pas être très amusant de vivre dans un endroit pareil !

– POUR MOI CE SERAIT TRÈS AMUSANT ! écrivit-elle avec une certaine fougue. DES MARES D'EAU DOUCE, DE GRANDES FEUILLES CHARNUES ET UN TAS DE VOISINES SYMPAS.

– Comment viendrais-je te rendre visite, mamie ? Aldabra est très éloignée de Venise. Je te manquerais !

– QUE VEUX-TU ? OÙ QU'ON SE TROUVE, IL NOUS MANQUE TOUJOURS QUELQUE CHOSE. »

Cette réponse me blessa. Elle était trop froide pour être de mamie Eia. Mais, après l'avoir écrite, la tortue me fit un clin d'œil. Elle ne croyait donc pas à la possibilité d'aller à Aldabra.

Je soufflai – une petite imitation de ses souffles – en signe d'indignation. Et pourtant, le soupçon que mamie Eia pourrait se passer de sa petite-fille s'était insinué en moi comme une fine épine à fleur de peau : elle n'était douloureuse que si on la touchait.

Désormais, les cours avaient recommencé et je me rendis compte qu'il me fallait travailler beaucoup plus qu'à l'école primaire pour ne pas avoir de retard sur le programme. En sixième, il y avait beaucoup de matières nouvelles et de nombreux ouvrages à lire. Chaque après-midi, j'étais obligée de faire mes devoirs en rentrant chez moi : impossible de prendre ça à la légère. Francesca avait changé d'établissement et je me sentais seule car je n'avais pas encore de nouvelles amies. J'aurais voulu partager mon secret avec quelqu'un, mais avec qui ? Je n'en avais pas la moindre idée. Il m'arrivait de repenser à Max, l'homme des *newsgroups* qui possédait un zoo. Lui, il aimait les animaux, même si c'était à sa façon étrange de collectionneur fanatique ; il savait peut-être des choses sur les tortues géantes que j'ignorais. Si besoin, j'aurais toujours la possibilité de me remettre en contact avec lui, mais je ne songeai pas un instant à lui révéler la vérité. Quant à maman, plus que jamais, j'avais le sentiment de devoir protéger mamie Eia contre elle. Comment réagirait-elle si elle découvrait son état ? Elle ne penserait même pas à la camisole de force, elle conclurait que seul un traitement rigoureux et douloureux serait efficace dans ce cas malheureux : une terrible série d'électrochocs et de douches froides, accompagnée de l'isolement le plus total… elle ne regarderait pas aux souffrances à infliger à mamie Eia pourvu qu'elle redevienne normale. Et mamie m'avait affirmé qu'elle mourrait au bout de deux jours d'enfermement !

Non, j'étais seule, complètement seule, il fallait me résigner. Le fait d'avoir une tortue pour grand-mère occupait tout mon temps libre et me donnait des responsabilités, mais cela avait aussi des côtés amusants : je l'observais des heures entières. De ses gestes, mamie Eia m'ouvrait un monde secret et bizarre. J'apprenais un tas de choses : comment économiser de l'énergie en effectuant un mouvement, par exemple. Elle mettait aussi une grande habileté à faire tomber les feuilles d'un arbuste en assénant à son tronc de petits coups à l'aide de son dos. Les feuilles constituaient une de ses nourritures préférées. Elle en dévorait énormément. Pour ramasser les plus grandes sur le sol, elle se servait parfois d'une patte, qu'elle portait à sa bouche. Elle parvenait à les manger sans en perdre le moindre bout.

Et puis mamie était toujours disposée à réciter les pièces de Shakespeare ; il semblait même que celles-ci la passionnaient encore plus depuis qu'elle s'était transformée en tortue. J'avais la sensation qu'elle se raccrochait à Shakespeare pour rester en contact avec cette nature humaine qui l'habitait encore. Je l'aidais, moi aussi, à y demeurer ancrée. Plus les jours s'écoulaient, plus je craignais que mamie ne glisse rapidement dans sa carapace si je m'éloignais d'elle, qu'elle ne s'y enferme et qu'elle ne se change en une pure et simple *Geochelone gigantea*, renonçant définitivement à sa portion d'humanité. Mais je devinais vaguement que cette transformation correspondait à une force qui n'avait rien à voir avec moi ; que je n'étais pas en mesure d'influer sur elle ; que les événements suivraient leur cours indépendamment de ce que je pouvais faire, ou pas. L'amour que mamie nourrissait pour moi et sa passion pour les drames de Shakespeare retarderaient tout au plus ces événements.

Ces pensées étaient sombres, j'essayais de les chasser au plus vite.

Nous déclamâmes ensemble *Othello*, *Macbeth* (j'interprétais le rôle de la reine ; elle, celui du roi) et *Le Songe d'une nuit d'été*. Elle avait une préférence pour les rôles masculins et ne se contentait pas de me donner la réplique : elle récitait tout son texte. Jour après jour, je commençais à la comprendre de mieux en mieux quand elle jouait le roi Lear ou Mercutio. J'ignore comment expliquer un fait de ce genre : c'était comme si j'écoutais et réécoutais Shakespeare dans une langue étrangère en m'habituant tout doucement aux sons produits.

Son corps massif était formidablement approprié au caractère dramatique de cet auteur. Son cou était particulièrement expressif quand elle l'allongeait ou le rétractait pour manifester de l'amour ou du mépris. Hésitations, fureurs, sauvagerie, passions : ce cou serpentin était en mesure de traduire le moindre sentiment d'un mouvement oscillant, sinueux ou brusque. Plus encore, mamie Eia pouvait pleurer à la mort d'Ophélie de façon vraiment poignante, avec des larmes gélatineuses qui se solidifiaient comme des gouttes de résine autour des douleurs du monde. Naturellement, elle excellait surtout dans les rôles qui requéraient une gravité majestueuse. Ses souffles marins soulignaient les parties saillantes du drame, leur donnant le sens inéluctable du destin.

Mais son cheval de bataille demeurait le monologue d'Hamlet : « être ou ne pas être ». La tortue adoptait alors la solennité, la lenteur hésitante du héros introverti et malheureux. Pour l'occasion, nous avions trouvé un beau caillou rond pour remplacer le crâne de Yorick. Mamie Eia le serrait entre ses grosses pattes antérieures, recouvertes d'écailles, et tendait tout doucement sa petite tête jusqu'à ce qu'elle le touche. Les cris les plus étranges s'échappaient de sa bouche, parmi des soupirs et des souffles remplis de chagrin. Désormais, je comprenais tout ce qu'elle disait. Certes, je connaissais le texte par cœur, et pourtant je suis persuadée que je la comprenais vraiment. En effet, il se produisit bientôt un fait étrange : cette compréhension s'étendit au langage de tous les jours, si bien que j'avais de moins en moins besoin de recourir au bac à sable pour bavarder avec elle. Il suffisait de l'inviter à utiliser le plus possible les mots tirés des pièces de Shakespeare. Nos conversations prenaient un ton un peu emphatique, mais cela fonctionnait.

La vie aurait donc continué à s'écouler de façon plus qu'acceptable si un nouvel ennemi n'était pas arrivé : l'hiver.

Avec le froid, mamie devint encore plus lente. Désormais, elle mangeait très peu et ses gestes s'engourdissaient de plus en plus. Je la trouvais souvent endormie dans le hangar, le nez encore couvert de peinture. Elle se creusa un trou dans un coin, où le terrain était plus mou. Elle aimait s'y réfugier et y rester immobile pendant des heures, blottie dans sa carapace, sans émettre le moindre bruit.

Je m'apercevais parfois qu'elle s'était endormie dans cette position et je ne parvenais pas à la réveiller, pas même en criant ou en frappant énergiquement sur sa carapace. Pourtant, il y avait bien un moyen : passer un petit bâton pas trop pointu sur les rainures blanches qui entouraient le dessin pentagonal des plaques. La carapace devait y être plus fine et plus sensible ; cela la chatouillait peut-être, car elle commençait rapidement à sortir ses pattes et sa tête puis à se soulever.

Mais certains jours, cette méthode aussi demeurait inutile et je ne savais plus que faire. Je m'ennuyais, et des pensées sombres se frayaient un chemin dans mon ennui : pendant combien de temps encore Shakespeare et moi l'empêcherions-nous de perdre totalement ses caractéristiques humaines ? Si le passage d'une espèce à l'autre s'achevait un jour, mamie et moi serions séparées par des années-lumière. Alors, pour échapper à l'angoisse, je préférais m'éloigner en posant de la nourriture près d'elle. Je parcourais Venise à la recherche d'autres preuves de son autonomie.

J'achetai un gâteau aux amandes dans une pâtisserie située loin de chez nous ; il était recouvert d'un glaçage blanc sur lequel le pont du Rialto était reproduit en sucre bleu et rose, et décoré de jolies petites perles argentées.

« J'ai vu ce gâteau hier dans la vitrine d'une pâtisserie près de Saint-Marc ! » s'exclama maman.

C'était exactement l'endroit où je l'avais acheté, mais j'avais enlevé le papier du magasin et toutes les indications de sa provenance.

« Oui, mamie m'a dit qu'elle s'était inspirée d'un gâteau de pâtissier », rétorquai-je promptement.

Maman me lança un regard soupçonneux. « Si ça se trouve, mamie t'a dit qu'elle l'avait fait, mais en réalité…

– J'étais là quand elle l'a préparé, répondis-je avec le plus d'indifférence possible.

– Bizarre. Quand j'étais petite, elle occupait tout son temps à déclamer. C'était un désastre en pâtisserie. Elle n'avait jamais envie de passer des heures à la cuisine pour faire des gâteaux.

– Alors, mamie est devenue meilleure cuisinière que lorsqu'elle était seulement maman. Cela t'arrivera peut-être un jour. »

C'était une véritable méchanceté de ma part : en effet, ma mère n'avait jamais le temps de préparer des gâteaux, et il n'était pas très gentil de le lui rappeler. Mais j'avais besoin d'une diversion, et je l'avais trouvée. Maman se mit à protester que ce n'était pas sa faute : si elle n'avait pas dû travailler dix heures par jour au kiosque à journaux, j'aurais vu les desserts qu'elle était capable de faire. Je la laissai dire, heureuse d'avoir détourné ses pensées de mamie Eia. Mais à partir de ce jour-là, je redoublai de prudence et évitai d'apporter des objets trop élaborés.

Un après-midi, je tombai sur un message de Max. Il me demandait ce que je devenais. Comme j'étais inquiète, je lui répondis. Avec lui, au moins, je pouvais parler de la tortue.

« Ma *Geochelone* n'aime pas l'hiver, écrivis-je. Tes reptiles aussi préfèrent la chaleur ? »

« Salut, Élisa. Je suis content d'avoir de tes nouvelles. Je craignais de t'avoir perdue : l'hiver est trop long pour tout le monde. Heureusement, mes reptiles me tiennent compagnie : leurs cages sont bien chauffées, je te conseille de faire de même avec ta *Geochelone* si tu tiens à elle. Enferme-la dans une cage bien chaude. »

« Mais elle n'est pas en cage ! répondis-je aussitôt. Comment peut-on garder prisonnier derrière des barreaux un être qu'on prétend aimer ? Il est possible que tu n'aimes pas tes reptiles, que tu te contentes de les collectionner. Moi, je veux que ma tortue soit au chaud, mais libre ! »

La réponse qui me parvint le lendemain matin était étrange : « Élisa, tu te trompes ! J'aime beaucoup mes reptiles. Ce sont les gardiens de mon sommeil : les reptiles me protègent contre les cauchemars. Le fait d'avoir ces animaux en cage m'aide à chasser les fantômes qui me poursuivent. Je suis obligé de les enfermer, car c'est seulement en les maîtrisant que je reçois leur aide. Vois-tu, Élisa, chaque nuit je rêve de sorcières et de monstres horribles qui veulent me découper en morceaux. Je me réveille, fou de terreur, en frissonnant. Je ne me ressaisis qu'au bout d'un long moment, quand je me rappelle que c'est moi qui garde les monstres prisonniers, et que nous sommes séparés par des barreaux ou une vitre : la panique cesse progressivement de m'étouffer. Je retrouve mon sang-froid. Comme tu le vois, mon reptilarium est, avec ses cages, plus efficace que n'importe quel médicament. Je suis très reconnaissant aux reptiles qui acceptent d'être en cage pour me sauver. Ils ont une noble fonction. Ils me protègent et en sont conscients. Ils savent qu'ils me sont indispensables. Comment appelles-tu ça ? Moi, j'appelle ça de l'amour. »

La lecture de ces aveux m'avait beaucoup inquiétée. J'en étais vaguement dégoûtée. Mais en y réfléchissant, je conclus que cet adulte, en proie aux cauchemars d'un enfant, ne méritait aucune compassion. Pourtant, cela ne m'empêchait pas de lui répondre.

Plusieurs semaines s'écoulèrent et la température chuta : l'hiver était à son comble ; comme d'habitude, à Venise, il apportait de la pluie, du vent et du froid. Il n'y avait pas de neige en ville, mais toutes les pelouses, à la Celestia, étaient recouvertes de petites fleurs blanches de gel. Les plantes grimpantes avaient séché sur la maison de mamie, à l'exception du lierre, au-dessus de la gouttière. On aurait dit qu'il s'agissait d'une demeure abandonnée : la tortue dormait dans le hangar pour ne pas avoir à se traîner sur les trois marches de l'entrée. J'étais le seul être humain à y pénétrer, quand j'avais besoin de cuisiner quelque chose ou de me réchauffer.

J'étais inquiète : comment cette créature appartenant à une espèce habituée au soleil des tropiques allait-elle affronter l'hiver ? Malgré tout, l'idée de l'enfermer dans une cage pour qu'elle soit bien au chaud continuait de me répugner. Je repoussais donc toute décision à plus tard.

Mais un jour, ce que je craignais arriva. Je m'étais absentée moins d'une semaine à cause d'une mauvaise grippe et d'une forte fièvre. Lorsque je fus en mesure de retourner à la Celestia, je trouvai mamie endormie à l'intérieur de son trou. Je voulais la réveiller, car cela faisait longtemps que je ne l'avais pas vue, je ne savais même pas depuis quand elle dormait, depuis quand elle avait cessé de s'alimenter.

Je m'y essayai par tous les moyens possibles : je frappai, tirai, tapai. J'utilisai mon petit bâton en pressant plus fort que d'habitude la pointe le long des rainures de la carapace. Rien. Je décidai de la frotter avec de l'huile d'amandes, me rappelant qu'elle aimait bien s'en passer sur le corps quand elle était une femme.

Je massai non seulement les plaques de sa cuirasse, mais aussi sa tête et ses épaules, autant que l'ouverture de la carapace me le permettait. Aucune réaction. Je redoublai d'énergie, mais sans résultat. Ce corps préhistorique ne donnait aucun signe de vie, à l'exception de quelques soupirs imperceptibles, qui n'avaient rien à voir avec les sonores souffles marins auxquels j'étais habituée. Je ne pouvais pas trop insister, car je risquais de la blesser.

Il ne me restait qu'à accepter le fait accompli : mamie Eia était tombée en léthargie. Et dans cette léthargie où ni Shakespeare ni moi-même n'étions en mesure de la rejoindre, elle poursuivrait peut-être son lent et obscur chemin, de plus en plus bas, de plus en plus loin, finissant par franchir la dernière frontière, au-delà de laquelle l'attendait le monde pur et indéchiffrable des tortues.

CHAPITRE X

Bien vite, je m'aperçus qu'il existait une menace beaucoup plus grave que le froid intense. Une menace qui risquait de se concrétiser à n'importe quel moment.

Les hautes eaux.

Elles n'auraient pas constitué un danger si mamie avait eu la bonne idée de se transformer en une tortue marine. Je lui en voulais, car ses choix farfelus me créaient un grand nombre d'inquiétudes.

Avec les hautes eaux, le sol du hangar était invariablement enseveli, parfois sous plus d'un mètre d'eau. Il n'était pas difficile de mettre les tableaux à l'abri : il suffisait d'empiler les cagettes les unes sur les autres et d'y poser les toiles jusqu'à ce que le niveau de l'eau baisse. Mais maintenant ? Comment réagir ? J'ignorais totalement ce qui arrive à une *Geochelone gigantea* quand sa tête est plongée dans l'eau alors qu'elle est en pleine hibernation. Mamie risquait-elle de se noyer dans son sommeil ? Et si ses poumons avaient conservé une partie de leur structure humaine ? Elle mourrait certainement.

Comment intervenir ? Traîner la tortue endormie hors du hangar était totalement exclu : avec mes seules forces, je n'aurais pas réussi à la déplacer d'un millimètre.

Cela faisait maintenant plus de vingt jours que mamie dormait au froid, sans boire ni manger. Voilà pourquoi je pris ma décision.

Enfermée dans ma chambre, je me connectai au *newsgroup* des amis des animaux. Je laissai un message de S. O. S. pour Max.

« Max, comment tirer ma *Geochelone gigantea* de la léthargie dans laquelle elle est plongée depuis un mois sans lui faire de mal ? »

La réponse de Max me parvint seulement le lendemain.

« Élisa, pourquoi veux-tu la réveiller ? »

« Parce qu'il fait trop froid. J'ai peur que cela ne lui fasse pas de bien », répondis-je.

Cette fois, la réponse de Max fut très rapide. « S'il fait froid chez toi, il est logique qu'elle soit tombée en léthargie. Je te l'ai déjà dit, il faut de la chaleur pour la réveiller, de la chaleur, un point c'est tout. Et une cage spéciale comme celles que j'utilise pour mes reptiles : avec un sol chauffé par des résistances électriques. Je peux t'en trouver une. »

« Mais je ne veux pas la mettre en cage ! Elle ne le supporterait pas ! »

« Quelle température fait-il chez toi ? »

« Elle est déjà négative », tapai-je.

La réponse m'arriva quelques minutes plus tard. « Ce n'est pas un climat sain pour un animal aussi peu adapté aux basses températures. Confie-la-moi, Élisa, au moins pour l'hiver. Je suis sûr qu'elle s'habituerait très bien à l'une de mes cages. Ou plutôt, pourquoi ne me la vends-tu pas ? Avec l'argent que tu en tireras, tu pourrais t'acheter un joli animal à fourrure. »

« Je ne la vendrai jamais ! » répondis-je, agacée par cette conversation qui ne menait nulle part.

Max était encore à son ordinateur. Il ne se résignait pas. « Élisa, j'aimerais beaucoup avoir une tortue de ce genre. Je te la paierais très bien. À quoi te sert une bête aussi peu communicative ? Je pourrais t'aider à trouver un animal vraiment sympa, comme un bébé renard de l'Arctique ou un pingouin empereur, si tu veux quelque chose d'insolite. Moi, je suis très intéressé par la *Geochelone*. Avec son aspect imposant et préhistorique, elle m'aiderait à chasser les monstres mieux que n'importe quel autre reptile. Je m'occuperais bien d'elle, Élisa, pourquoi ne me la montres-tu pas ? Nous pourrions en discuter. Même si tu refuses de t'en séparer, je pourrais te rendre visite et t'apporter mon aide. Avec mon expérience, je t'assure que je trouverais le moyen de la tirer de sa léthargie. »

Une fois encore, je sentis que je ne pouvais pas lui dire où je vivais. Cet homme me mettait mal à l'aise avec son extravagance malsaine. Comment se fier à un individu qui enferme des animaux dans des cages pour échapper à ses cauchemars ? Il était aussi trop insistant. Impossible de courir un risque pareil. Voilà pourquoi, après avoir longuement réfléchi, je tapai la question suivante : « Max, j'ai besoin d'une seule information. Une tortue terrestre peut-elle se noyer si sa tête est plongée dans l'eau alors qu'elle est en train d'hiberner ? »

Toujours à son ordinateur, Max répondit aussitôt.

« Quelle étrange question ! Mais rassure-toi, cela ne peut pas se produire car les tortues ne choisissent pas des trous pleins d'eau pour hiberner. Même si elles peuvent garder la tête sous l'eau pendant une heure. Tu ne veux pas me dire que ta tortue a la tête sous l'eau, n'est-ce pas ? »

« Non, non, elle n'a pas la tête sous l'eau. Mais si les eaux montaient pendant son sommeil ? Si les hautes eaux duraient plus d'une heure ? Que se passerait-il ? » écrivis-je, en proie à l'angoisse.

Je venais juste d'envoyer ma question quand je m'aperçus de mon erreur. Il n'avait pas été prudent de ma part de mentionner les hautes eaux. Max risquait de deviner où je vivais.

En effet, sa réponse immédiate fut la suivante : « Pourquoi parles-tu des hautes eaux ? Vivrais-tu par hasard à Venise ? »

« Non, c'était une façon de parler », me dépêchai-je de taper. Cette réponse me sembla peu convaincante. Pire, suspecte. Je l'effaçai et éteignis l'ordinateur.

Les vacances de Noël approchaient, la température avait monté de quelques degrés, mais mamie ne semblait pas encore prête à sortir de sa léthargie.

À présent, je vivais dans une angoisse permanente. À la moindre allusion aux hautes eaux, je me précipitais à la Celestia, même si le fait d'être aux côtés de mamie sans pouvoir la déplacer n'aurait pas servi à grand-chose.

Je m'asseyais près d'elle, lui caressais le dos et appuyais la pointe du bâtonnet sur les rainures qui séparaient ses plaques. J'écoutais son souffle léger, le seul signe me prouvant qu'elle était encore en vie. Nos conversations me manquaient. Je récitai un monologue de Shakespeare, mais elle ne réagit pas. Que se passait-il à l'intérieur de son petit cerveau endormi ?

Adossée à sa carapace, je laissais mon esprit errer ; je pensais à moi-même, à mon avenir. Si mamie s'était transformée de la sorte, suivrais-je son exemple le jour où je deviendrais une vieille dame ? Cela arriverait-il aussi à ma mère ? Il m'était impossible de croire que maman connaîtrait une pareille expérience. Elle était trop réaliste, trop concrète, elle ne perdait pas de temps à déclamer les vers de Shakespeare, elle ne jouait pas à l'aveugle dans les ruelles de Venise. Non, maman ne risquait pas de se changer en une créature aussi bizarre.

Mais moi ? Mamie Eia et moi nous ressemblions comme deux gouttes d'eau ; nos prénoms aussi étaient presque identiques. Perdrais-je la raison, comme elle ? M'enfermerait-on un jour dans un asile de fous ? Oh, je me métamorphoserais immédiatement, à la première tentative, en... en quoi ? Mamie ne m'avait jamais révélé en quoi se transformaient les femmes de ses récits, les femmes du peuple ancien, aux confins du monde, qui refusaient de mourir. Je lui poserais la question à son réveil.

À son réveil... Mais serait-elle encore en mesure de me répondre, une fois sortie de sa léthargie ?

Je m'efforçai de me concentrer sur mon propre cas.

Je n'avais pas très envie de devenir une *Geochelone gigantea*, je préférais par exemple me changer en oiseau, ou en faon. J'ignorais s'il était possible de choisir, mais je pensais que c'était le cas. Au fond, mamie s'était inspirée du peigne en écaille, je n'avais donc qu'à m'inspirer d'une plume d'oiseau. De la plume d'une mouette. Avais-je envie d'être une mouette ? Pourquoi pas ? Ou des bois d'un cerf : devenir cerf était sans doute très agréable. Les cerfs courent si bien ! Je pouvais me transformer en éléphant, car les éléphants aussi vivent longtemps, ce qui n'est pas une caractéristique à négliger quand on décide d'adopter une nouvelle identité. Une belle éléphante grise. Quoi qu'il en soit, je ne me métamorphoserais pas en reptile, comme mamie, j'en étais sûre et certaine.

Je m'arrachai à mes rêveries avec l'envie de bondir, de m'enfuir. Au fond, j'avais encore beaucoup de temps devant moi ! Je n'avais que dix ans et demi, j'étais bien loin des quatre-vingts ans de mamie ! J'avais toute la vie pour y penser !

Je donnai à nouveau un coup d'œil à mamie Eia. Toujours immobile comme un rocher, grise et silencieuse. Était-elle en train de rêver ? À quoi rêvent les tortues pendant qu'elles hibernent ? À de la nourriture orange ? Peut-être rêvait-elle de Shakespeare ? Ou d'Aldabra ? Ou des trois à la fois, comme dans les rêves incohérents que je faisais au cours de cette période, des rêves dans lesquels il était impossible de se retrouver.

Assise des heures entières à côté de mamie, je ressassais des pensées concernant notre avenir. À ma grande surprise, je me surprenais de plus en plus souvent à me demander comment réagir si la tortue ne montrait pas d'intérêt pour les questions humaines à son réveil : si j'étais vraiment une petite-fille pleine d'amour il me faudrait l'emmener à Aldabra, même si l'idée de me séparer d'elle me répugnait. Aldabra était son île. Elle serait en sécurité dans les lieux où son espèce prospérait depuis des milliers d'années.

Au fond, Aldabra était éloignée, mais elle n'était tout de même pas située sur la lune : c'était un endroit réel, un point existant physiquement sur la planète. Je pouvais l'y envoyer en l'embarquant sur un bateau. Il me fallait seulement élaborer la bonne façon de procéder. C'était important pour elle. Une fois sur cette île lointaine, elle s'intégrerait aux autres êtres vivants de son espèce, elle se bâtirait une nouvelle vie. Ici, à Venise, elle n'avait que moi. Et si je tombais à nouveau malade ? Combien de temps cela durerait-il ? Je n'étais pas vraiment fatiguée de cette histoire… mais combien de temps résisterais-je ?

En général, je fondais en larmes, lasse de tout ce silence. Puis, un jour, pour m'obliger à penser à autre chose, je décidai de me concentrer sur la partie pratique de mon projet fou. Ne serait-ce que pour établir s'il était réalisable.

Tout d'abord, je devais me connecter une nouvelle fois à Max. Je ne voyais pas d'autre solution. À qui d'autre parler de la *Geochelone* ?

Je m'installai devant mon ordinateur et lui écrivis un message concis et déterminé.

« Max, je voudrais emmener ma tortue à Aldabra. Comment puis-je faire ? »

« Tu plaisantes, ou quoi ? répondit Max quelques heures

plus tard. Je te le répète, donne-la-moi, je m'occuperai bien d'elle. Elle sera la reine de mon reptilarium. »

« Non, je ne veux pas qu'elle vive en cage, je te l'ai déjà dit mille fois. Si tu ne m'aides pas, je m'adresserai à une organisation mondiale pour la sauvegarde des animaux. »

En réalité, cette idée ne m'avait pas encore effleuré le cerveau. Je savais qu'Aldabra est un sanctuaire, un refuge que l'on considère comme le patrimoine de l'humanité, et que les tortues qui peuplent l'île sont protégées, car leur race est en voie d'extinction, mais je redoutais les questions des scientifiques. Que répondrais-je s'ils me demandaient d'où venait ma *Geochelone* ? Mais ils m'aideraient à la transporter à Aldabra. Peut-être. À moins qu'ils ne veuillent, eux aussi, l'enfermer dans une cage…

Le signal de réception du courrier apparut sur l'écran.

« Élisa, ne prends aucune décision avant mon arrivée. Je te promets que je t'aiderai. Dis-moi où tu habites. »

J'hésitai une seconde puis j'éteignis l'ordinateur.

CHAPITRE XI

Dernier jour de classe avant les vacances de Noël. J'étais soulagée : j'allais avoir plus de temps à consacrer à mamie, je ne serais plus obligée de l'abandonner à sa solitude des heures durant. Même s'il n'était pas vraiment amusant de la regarder dormir. Je devais trouver le moyen de la réveiller.

J'avais élaboré un nouveau projet pour surmonter l'hiver : je m'étais décidée à construire une serre à l'intérieur du hangar, tout autour de mamie. De quelle façon ? Je l'ignorais encore. Je n'envisageais pas une cage avec des barreaux, mais une serre transparente, chaude et confortable qui ne lui ferait pas l'effet d'une prison à son réveil.

Je réfléchissais en classe à la réalisation de cette structure de verre en ne gardant qu'une vague idée de ce qui se passait autour de moi. À leurs tables, mes camarades piaffaient bruyamment. Cris, éclats de rire et appels fusaient au-dessus de ma tête. Ils attendaient tous la sonnerie de la cloche pour bondir hors de la classe et se jeter dans de longues vacances, comme des poissons qui aspirent à l'eau de leur étang.

Donc, je bâtirais des parois de verre autour d'elle et allumerais un feu de bois à l'intérieur. Ainsi, l'air se réchaufferait et mamie sortirait de sa léthargie. Après quoi, j'aurais tout loisir de la conduire en lieu sûr.

L'idée était géniale, mais je ne savais pas comment la mettre en pratique. Avant tout, j'avais besoin de plaques de verre, de planches et de mastic pour fixer la structure. Il était possible d'ôter les vitres des fenêtres de chez mamie ou, mieux encore, de les acheter, si elles ne coûtaient pas trop cher. En donnant à la serre la forme d'une pyramide, elle tiendrait plus facilement debout.

« Hé, Élisa, qu'est-ce que tu fais ? Tu ne rentres pas chez toi ? »

Je sursautai. La sonnerie retentissait dans mes oreilles. Je lançai un regard autour de moi et m'aperçus qu'il n'y avait plus personne dans la classe.

« À quoi pensez-vous tout le temps, vous autres adolescents ? » Le professeur, debout sur le seuil, m'observait avec une indulgence teintée de surprise.

Je me levai. « Je pensais… au cadeau que je vais faire à ma grand-mère. » Ce n'était pas un mensonge : la serre serait mon cadeau de Noël pour mamie Eia.

Je quittai le collège et me dépêchai avant que les magasins ne ferment. Je voulais me renseigner immédiatement sur les prix des plaques de verre, mais j'ignorais où m'en procurer. J'errais donc dans les rues en regardant les vitrines jusqu'à ce que j'en déniche une contenant des carreaux de céramique : on y vendait peut-être du verre. J'entrai.

Ce magasin était spécialisé dans le matériel pour les

salles de bains, mais le vendeur m'indiqua où je pouvais trouver des plaques de verre. L'endroit en question était assez éloigné de chez moi, aussi décidai-je d'y aller dans l'après-midi : il était déjà tard et maman m'attendait pour le déjeuner.

En entrant, j'entendis une voix masculine s'échapper du salon. Elle semblait appartenir à un jeune homme. Mais à qui ? Il était rare qu'on nous rende visite dans notre appartement-aquarium. Je conclus qu'il s'agissait sans doute du monsieur du gaz, ou du plombier, venu pour une réparation, et je me dirigeai vers la salle de bains pour me laver les mains.

« Élisa, c'est toi ? Viens ici immédiatement ! Immédiatement ! »

Qu'avais-je fait ? Je n'avais rien cassé au cours des derniers jours, je n'avais pas non plus bouché l'évier avec mes cheveux. Aucun jouet n'était tombé sur la tête d'un passant car je n'avais rien jeté du balcon. C'est tout du moins ce que je pensais. Mais le ton de maman était éloquent : j'étais coupable de quelque chose.

Je pénétrai dans le salon.

Ce que je vis me surprit. Un jeune homme vêtu d'une veste en daim était assis dans un fauteuil. Ce n'était pas un plombier, il ne portait pas de combinaison. Avec sa pomme d'Adam qui montait et descendait, avec ses épaules voûtées, ses genoux serrés et ses pieds à l'intérieur, comme s'il mourait d'envie de faire pipi, c'était la caricature d'un adolescent. Il avait les yeux bleus : deux bulbes aqueux, un peu saillants. Ses cheveux étaient d'un blond roussâtre, son teint pâle, ses membres d'une maigreur exagérée, comme contractés : on aurait dit qu'il était *obligé* d'être assis là, sur le point de bondir et de s'enfuir. Pourtant, il me salua avec un sourire aimable.

Debout, les bras croisés, près de la fenêtre, une cigarette entre les lèvres, maman me lança un regard sévère qui tranchait bizarrement sur la gêne que l'inconnu dissimulait derrière sa jovialité.

« C'est quoi, cette histoire de tortue géante ? demanda-t-elle brusquement, éteignant sa cigarette d'un geste rageur. Où se trouve cette tortue ? »

Mon regard alla de ma mère à la pomme d'Adam de l'homme assis dans le fauteuil. Il continuait de me sourire, d'un sourire plein d'attente.

« Quelle tortue ? » bredouillai-je. Mais j'avais déjà compris.

« Je suis Max », déclara l'homme en s'apprêtant à se lever. Puis, comme s'il changeait d'avis – il songea peut-être que j'étais trop petite pour un salut formel –, il s'enfonça dans le fauteuil. « Salut, Élisa. Ravi de te rencontrer en chair et en os. »

J'étais piégée ! Je regardai tantôt le jeune homme, tantôt maman en cherchant une échappatoire possible. Je n'en trouvai qu'une : nier, nier tout en bloc.

« Ce monsieur me disait que tu l'as contacté sur Internet. C'est vrai ?

– Oui », murmurai-je. Je n'avais aucune raison de nier ce point.

« Et tu lui as raconté que tu possèdes une énorme tortue venant d'une île étrange… dont j'ai oublié le nom.

– D'Aldabra », dit l'homme en croisant les jambes.
Je voyais bien qu'il s'efforçait de paraître à son aise.
« D'Aldabra », répéta maman en baissant la tête. Elle fit
mine d'allumer une autre cigarette, puis elle changea d'idée
et croisa à nouveau les bras sur sa poitrine. « Élisa, j'aimerais
bien que tu me donnes des explications. Si cela ne te dérange
pas trop… puisque tu me caches tout ce que tu fais !

– Un jour que je m'ennuyais, j'ai inventé que je possédais une tortue géante ! avouai-je en haussant les épaules.
Ce monsieur m'a prise au sérieux, et j'ai poursuivi la plaisanterie. Je trouvais ça amusant. C'est tout.

– Et tu lui as donné ton adresse. » À présent, le ton de
maman était tendu. Pour elle, il s'agissait du point crucial.

« Non, pas du tout ! m'écriai-je. Ou plutôt… pardon,
monsieur, mais comment êtes-vous arrivé jusqu'ici ? Comment avez-vous su où j'habite ? Je ne vous l'ai jamais dit ! »
Pour donner plus de force à mon accusation, j'étais passée
au vouvoiement, oubliant nos messages sur Internet.

Je vis maman se tourner brusquement vers le fauteuil.
L'homme se racla la gorge. Sa pomme d'Adam bondit. « Je
suis très doué en informatique. Je sais comment retrouver
une adresse dans les *news-groups*… ce n'est pas très difficile.
Et toi, Élisa, tu avais parlé des hautes eaux : il était facile de
conclure que tu vivais à Venise. Le plus dur est venu ensuite.
Disons que j'ai fait des recherches soignées.

– Et pourquoi avez-vous fait toutes ces recherches,
monsieur ? » demanda maman en maîtrisant sa voix. Je pouvais presque voir la rage monter en elle. « Qu'est-ce qui vous
amène ici ?

– J'ai la ferme intention d'acheter la *Geochelone gigantea* que votre fille prétend posséder ! s'exclama le jeune homme en perdant aussitôt son air maladroit. Je suis prêt à débourser une belle somme. Mais j'aimerais d'abord voir la tortue. »

Maman me regarda une nouvelle fois, deux points d'interrogation à la place des pupilles.

« Je n'ai pas de tortue, affirmai-je avec force. Je vous l'ai dit, j'ai tout inventé ! Je n'ai fait que plaisanter, ce n'est pas un crime, tout de même.

– Mais pourquoi as-tu fait ça, Élisa ? » m'interrogea maman avec un air désorienté. Mes extravagances la troublaient toujours. Elles la mettaient mal à l'aise.

« Pour m'amuser. »

Elle parut presque déçue qu'il n'y eût pas de tortue. Elle décroisa les bras et les écarta d'un geste résigné, comme pour signifier qu'elle n'y comprenait rien.

« Mais… mais… je suis sûr que cette fillette a une *Geochelone gigantea* cachée quelque part ! »

Le jeune homme s'était levé en pointant un index vers moi. Il était très grand. Son corps frêle tremblait d'indignation. « J'en suis sûr, j'en suis sûr, ne cessait-il de répéter tandis que nous le fixions d'un air abasourdi. Ce n'était pas une plaisanterie. Tu… tu connaissais un tas de détails sur ce genre de tortue. Des choses qu'on ne trouve dans aucun ouvrage scientifique ! Son souffle, par exemple, tu l'as très bien décrit. Où aurais-tu pu l'entendre si tu n'avais pas eu une tortue vivante ? » Ses yeux exorbités brillaient en allant de ma mère à moi-même d'un air suppliant. Il va fondre en larmes, me dis-je en observant son index qui s'agitait. Il perd totalement son sang-froid!

Maman fronça les sourcils : je devinai qu'elle recommençait à hésiter devant tant de véhémence. « Ma fille est parfois un peu bizarre, il ne faut pas y prêter attention... et puis, réfléchissez, monsieur... comment ma petite Élisa pourrait cacher une tortue aussi grosse ? » demanda-t-elle d'une voix faible. Elle semblait se poser la question à elle-même.

« Je ne sais pas, je ne sais pas ! Mais je vous assure que les détails qu'elle m'a donnés... Elle m'a dit que la tortue était tombée en léthargie à cause du froid, voilà pourquoi elle ne peut pas être ici. Votre appartement est bien chauffé. Vous avez un jardin ? Un... un endroit en plein air ? »

Maman se tourna rapidement vers moi avec un air interrogateur. Le mot jardin lui avait évoqué quelque chose.

« Est-ce que, par hasard, mamie Eia a quelque chose à voir avec cette plaisanterie, Élisa ? »

Je compris qu'il me fallait trouver immédiatement une diversion pour me tirer de cette situation.

Je baissai les yeux. « Non, elle n'a rien à voir avec ça. Je vais vous expliquer ce qui s'est passé, monsieur, murmurai-je lentement comme si je répugnais à parler. Comme vous me proposiez toutes ces choses... de nous rencontrer au jardin de la Biennale après l'école... en me disant que vous aviez un beau cadeau pour moi... j'ai décidé de me moquer un peu de vous et j'ai inventé l'histoire de la tortue géante. Si j'ai attendu tout ce temps-là pour le dire, c'est parce que maman n'aime pas que je parle avec des inconnus, même si c'est sur Internet ! »

– Sortez immédiatement de cette maison ! Je vous avertis, j'appelle la police ! Élisa, va dans ta chambre ! Je m'occuperai de toi plus tard ! »

Maman souleva le combiné comme une furie.

L'homme fit un pas dans ma direction, le bras tendu, pointant son index tremblant vers moi comme s'il voulait me transpercer. « Ce ne sont que des mensonges ! Tu es une menteuse ! » grogna-t-il.

Alors, maman s'écria : « Allez-vous-en ! Laissez ma fille tranquille ! » Ses doigts pressaient frénétiquement les touches du téléphone.

Max pivota vers elle. Ce qu'il vit dut l'effrayer car il baissa le bras et commença à reculer vers la porte. Il continua de marcher à reculons en trébuchant plusieurs fois sur le tapis. Il était encore plus pâle qu'auparavant, il avait l'air très en colère, mais le plus drôle, c'était qu'il semblait également coupable. Il ouvrit la bouche comme pour protester puis il renonça. Il nous tourna le dos et rejoignit l'entrée avant de se précipiter dans l'escalier.

Maman abandonna le téléphone sans avoir terminé de composer le numéro – elle tremblait trop pour parvenir à se concentrer – et referma la porte dans un bruit sourd. Je profitai de cet instant pour filer dans ma chambre.

Je me réfugiai sur le lit, dans l'attente de la scène. Je préférais les éclats de voix aux questions sur la tortue. J'étais certaine que celle-ci était maintenant sortie de son esprit. Sa fille poursuivie par un obsédé ! Cette perspective était bien plus grave que celle d'avoir une fille qui inventait l'existence de tortues géantes avec la complicité de sa grand-mère.

Pourtant, l'idée d'avoir accusé un innocent m'embarrassait ; maman pourrait revenir sur sa décision et mettre à exécution sa menace d'appeler la police. Une autre mère, plus maîtresse d'elle-même, l'aurait fait immédiatement. Je refusais d'y penser. Je me dis que c'était la première et dernière fois : jamais plus je n'accuserais quelqu'un d'un acte qu'il n'avait pas commis.

Mais je n'étais pas préparée aux larmes. Ma mère entra dans la pièce, les yeux luisants. Elle avait eu peur, c'était évident. Peur pour moi. Elle était aussi en colère, naturellement, et pourtant ce qu'elle dit me désarçonna.

« Élisa, à quoi as-tu pensé ? murmura-t-elle en s'asseyant à côté de moi sur le lit. Cet homme pouvait te faire du mal, tu sais ? Beaucoup de mal. »

Je l'étreignis. « Non, maman, m'écriai-je. J'ai tout inventé. Il ne m'a jamais donné de rendez-vous au jardin public. »

Elle me dévisagea d'un air déconcerté. « Alors, pourquoi as-tu raconté des choses pareilles ?

– Je voulais qu'il s'en aille. Il ne me plaisait pas. »

C'est alors que la fameuse scène se produisit. Les paroles de maman étaient des grêlons glacés et durs qui s'abattaient violemment sur moi. Elle m'accusa d'horreurs, elle me peignit les flammes de l'enfer puis, épuisée, reprit un ton moins véhément, presque doux.

« J'ai l'impression de passer trop peu de temps avec toi, murmura-t-elle en cherchant avec des gestes mécaniques les cigarettes qu'elle ne trouvait pas. Si ton père était là… toute seule, je n'y arrive pas… s'il était encore en vie, il saurait comment réagir. »

Mon cœur se tordait. C'était horrible !

Nous gardâmes le silence un moment puis elle se ressaisit, comme si la portée de mon acte lui avait à nouveau traversé l'esprit. « Je ne peux pas avoir confiance en toi ! s'écria-t-elle. Tu as menti ! Tu as accusé un innocent ! Tu as inventé l'existence d'une tortue ! Pourquoi ? Pourquoi ? Pourquoi ? Tu es si étrange, si étrange, comme… Que dois-je faire de toi ? »

Étrange… comme qui ? Comme mamie Eia ? Les yeux fixés sur le sol, je restais muette en attendant que la vague de colère passe. La voir aussi agitée me faisait terriblement souffrir, mais je ne savais plus que lui dire sans trahir mon secret.

Au bout d'un moment, je réussis à chuchoter à son oreille : « Je t'aime. Tu es une maman merveilleuse, vraiment. La meilleure maman du monde.

— Il faut vraiment être doué pour te comprendre, soupira-t-elle. Mais moi aussi, je t'aime. Tu es tout ce que j'ai. »

Je soupirai de soulagement. Maintenant, nous pouvions faire un câlin, j'en avais vraiment besoin.

Je posai la tête sur ses genoux en m'allongeant pour être plus à mon aise. Je pris sa main et la plaçai sur ma joue. Que les délices commencent ! pensai-je en une vague d'amour.

C'est à ce moment-là que la sirène retentit.

« Il faut que j'aille ranger les journaux au kiosque, soupira maman comme si elle déplorait, elle aussi, cette séparation.

— Les hautes eaux », murmurai-je avec effroi.

Elle me pinça légèrement la joue. « J'ai entendu à la radio qu'elles battront aujourd'hui tous les records des dix dernières années. »

CHAPITRE XII

Les hautes eaux ! Et mamie Eia dans un coma profond. J'étais tellement angoissée que son hibernation m'apparaissait comme un état que rien ne pourrait briser, pas même l'instant de la mort.

Surprise par l'élan avec lequel j'avais jailli du lit, ma mère tendit le bras pour me retenir. « Où vas-tu ? »

Avant qu'elle ait eu le temps de me rejoindre, j'étais déjà sur le seuil.

« J'ai une commission à faire !

– Aussi vite ? De quoi s'agit-il ?

– Trop long à expliquer !

– N'oublie pas ton manteau, il fait froid ! » cria-t-elle dans mon dos.

J'avais déjà atteint la rue, après avoir attrapé au vol mon blouson, pendu au crochet de la porte.

En courant, j'évitais les passants qui me gênaient dans la rue étroite, multipliant les poussées et les coups d'épaule. Je courus, le cœur à plein régime, mue par le son de la sirène qui lançait sur Venise une menace lugubre. Elle me rappelait les films de guerre. Mais les Vénitiens étaient occupés à baisser avec calme et méthode les rideaux de fer des magasins. Des gestes effectués des centaines de fois. On installait déjà les passerelles de bois aux points stratégiques.

À Venise, les hautes eaux sont un problème à prendre avec une patience philosophique. Dans les magasins, il faut ranger les marchandises en hauteur sur des étagères pour éviter qu'elles ne se mouillent. Il faut aussi enlever les tapis. De grandes bottes en caoutchouc surgissent aux pieds des passants comme par magie. Il se crée en un instant une atmosphère de joyeuse excitation : personne ne se laisse intimider.

J'étais la seule Vénitienne effrayée. Je continuai à courir en pressant une main sur mon côté, là où naissaient les premiers élancements.

En dix minutes, j'étais à la Celestia.

Je parcourus la passerelle en jetant un coup d'œil rapide au niveau de l'eau dans la lagune. La plage des ordures était déjà submergée. Je poursuivis ma route du même pas, projetée en avant, indifférente à ceux que je croisais.

Les *Petites Casernes*.

Je les dépassai sans me soucier des habitants qui s'employaient à ramasser les objets éparpillés dans leurs jardins. Personne ne m'arrêta. Personne ne me demanda où je me dirigeais aussi vite.

Les sirènes s'étaient tues. Combien de temps avais-je devant moi ? Une heure ? Deux ? J'ignorais totalement ce que je ferais une fois arrivée. J'y penserais plus tard. Pour l'instant, je devais me dépêcher.

Après avoir atteint les potagers incultes et l'arcade de l'Arsenal, je fonçai sur le sentier jusqu'à la grille qui portait l'inscription ZONE MILITAIRE. Je laissai derrière moi les panneaux DANGER D'ÉCROULEMENT et me glissai entre les ronces. Le cœur battant furieusement dans mes tempes, je parvins au hangar de mamie Eia. Je m'arrêtai pour respirer une première bouffée d'air, puis une deuxième. À la troisième, je me précipitai à l'intérieur.

Mamie Eia n'avait pas bougé de la petite fosse dans laquelle elle gisait, aussi polie et immobile qu'un rocher gris. Le trou était situé dans une légère dépression : il serait le premier à être inondé.

Tout en haletant, je contemplai les rondeurs saillantes de cette grande carapace. La tortue était véritablement encastrée dans la cavité. Comme elle était grosse ! Comment allais-je la sortir de là ? Je balayai le hangar d'un regard frénétique.

Il faut que je crée de la chaleur autour d'elle, me dis-je en continuant de respirer par la bouche pour reprendre le souffle que la course m'avait coupé. Je dois construire une serre de fortune, avec les matériaux dont je dispose : elle se réveillera et quittera toute seule ce maudit trou.

Il n'y avait plus une seule vitre dans le hangar, mais il restait encore quelques fenêtres intactes dans la vieille maison.

Je courus vers le cottage de mamie en devinant toutefois que je serais incapable d'ôter les vitres de leurs châssis. Une fois dans l'entrée remplie d'imperméables et de parapluies, je compris que ce dont j'avais besoin était là, à portée de main.

Je n'avais ni le temps ni la possibilité de construire une serre en verre, je me contenterais donc de plastique. Les capes de mamie étaient larges et longues. Elles conviendraient parfaitement. J'en dénichai trois : une jaune, une verte et une rouge, de tailles différentes. Je les coudrais ensemble pour fabriquer une tente.

À la cuisine, je pris dans le tiroir de la table une boîte de cure-dents, rangée près d'un énorme tas de bougies à la cire d'abeille. Ils me serviraient d'épingles. J'essayai de perforer le plastique léger des capes avec l'un d'eux. Cela marchait. Je réunis les capes en les épinglant du mieux possible. Il me fallait maintenant un piquet de soutien et une source de chaleur. Les bougies ! J'avais également besoin de bois pour faire un feu important. Et d'allumettes.

Je trouvai les allumettes près de la cuisinière. En revanche, je dus chercher partout pour dénicher un piquet de soutien. Je finis par opter pour un grand balai.

Munie de tous ces objets, je regagnai le hangar. Je m'approchai de la tortue.

« Prépare-toi au réveil, mamie », dis-je en commençant par planter le manche du balai dans le sol, près du trou où elle dormait. Je le tournai dans la terre en le poussant en profondeur afin qu'il ne s'effondre pas avec toute la structure de la tente. Quand il me parut convenablement planté, bien droit, j'accumulai avec le pied un peu de terre à sa base pour qu'il soit bien stable. Je m'employai ensuite à disposer les trois capes de couleur, en veillant à ce que la fosse de mamie demeure à l'intérieur de cette tente improvisée. Je me plaçai à l'extérieur pour faciliter les opérations. Soudain, je réalisai que je n'avais rien emporté pour fixer les capes au piquet. Je fus donc obligée de retourner à la maison à la recherche de ficelle. Je dénichai des rubans provenant de vieux paquets cadeaux, soigneusement enroulés sur eux-mêmes. Ils feraient l'affaire.

Après dix minutes de travail, j'obtins une sorte de tente indienne bariolée, ancrée au sol déjà humide par de gros cailloux. J'avais laissé un côté de la tente ouvert afin de pouvoir m'y glisser. Si on ne la heurtait pas trop, elle tiendrait debout.

Et maintenant, le bois. Je bondis dehors en regardant autour de moi. Il me fallait du bois sec, si je voulais faire un beau feu. Où en trouver ? Il avait plu ces derniers jours et les branches nues des arbres étaient mouillées. Je retournai dans la maison, bien décidée à casser des chaises si nécessaire. En parcourant les pièces comme une tornade, j'attrapai tous les petits objets en bois qui me tombaient sous la main.

Un rouleau à pâtisserie, une planche à découper, des béquilles, deux écuelles indiennes, une poignée de pinces à linge, les cadres des tableaux, une boîte à bijoux (j'hésitai un peu car elle me semblait trop précieuse, mais je finis par la prendre), une statuette de Bouddha (horrible). Et pour terminer, un chapeau de paille accroché à un clou.

C'étaient de vieux objets dont le bois était bien sec. Je m'emparai aussi de journaux jaunis par le temps et, les bras ainsi chargés, je regagnai le hangar.

Je me faufilai dans la tente en m'efforçant de ne pas heurter le balai. Comme on ne voyait rien à l'intérieur, je grattai une allumette. J'avais juste assez de place pour m'accroupir près de la tortue dans la fosse. J'allumai une bougie et cherchai un endroit où la poser. Je finis par opter pour la carapace de mamie. Je fis couler quelques gouttes de cire sur la plaque centrale et y installai la bougie. La tortue ne bougea pas. J'étais incapable de dire si j'entendais vraiment son souffle imperceptible, ou si je ne faisais que l'imaginer.

Avant tout, j'allumai toutes les bougies et les fixai autour de la première. Maintenant, mamie avait l'air d'un gâteau d'anniversaire, diffusant dans la tente une lumière douce et tremblante. Je froissai les feuilles de journal et les plaçai le plus loin possible de la tortue en veillant à ce qu'ils ne touchent pas la toile. Je ne voulais pas brûler mamie. Je voulais la réveiller.

Je posai ensuite sur les journaux tous les objets de bois : d'abord les plus gros, puis les plus petits. Je devais aussi prendre garde à ne pas brûler le plastique.

Absorbée par ces préparatifs, je n'avais même pas jeté un coup d'œil autour de moi : je ne m'étais même pas rendu compte que le terrain sur lequel j'étais assise était devenu boueux et mou.

Les hautes eaux !

Le temps pressait. Aucun feu ne s'allumerait sur un terrain gorgé d'eau. Je grattai une allumette et l'approchai des feuilles de journal. Le papier brûla bien et rapidement. Trop rapidement : le bois aurait-il le temps de s'enflammer, lui aussi ?

J'ajoutai une autre feuille après l'avoir convenablement froissée. Et une autre encore. Enfin, le chapeau de paille brûla et sa flamme se propagea à l'une des béquilles. Je la vis noircir. Puis la flamme changea de couleur et se raviva. Comme elle était proche ! Je sentais sa caresse cuisante sur le visage. Un cadre commença à se consumer en crépitant gaiement. La flamme était maintenant très haute, elle nous léchait presque. Le cadre brûlait à merveille. J'avais réussi.

Je regardai mamie. Elle était toujours immobile, sa tête et ses pattes demeurant invisibles. L'air me paraissait aussi brûlant qu'en enfer. Pourquoi ne se réveillait-elle pas ? De grosses gouttes de sueur se mirent à couler sur mon front. Moi, j'avais chaud ! Je m'évanouissais de chaleur ! La tortue devait donc avoir chaud, elle aussi ! Je soulevai ma main du sol : elle était mouillée et couverte de boue. Il y avait de l'eau sous mes jambes. Elle ne tarderait pas à bouillir. Je tapai sur mes genoux, que de minuscules étincelles atteignaient.

Et la tortue ne se réveillait toujours pas !

Les flammes bleuirent encore et il y eut des craquements sonores.

J'entendis des grésillements et des crépitements, puis ce fut le tour de sifflements étouffés. J'avais fait un feu lamentable : le bûcher s'éteignait.

Tout était mouillé et boueux. Je me penchai pour mesurer la hauteur de l'eau dans le trou où mamie dormait, quand les flammes disparurent misérablement, dégageant une fumée dense et âcre que la tente retenait.

Je commençai à tousser. Mes yeux me piquaient et pleuraient, je fus obligée de les fermer.

La fumée m'étouffait, ma toux redoubla. De deux

choses l'une : soit je sortais de là, soit j'ouvrais la tente. Je tâtonnai les yeux fermés. Dehors! Dehors!

Un petit bruit m'immobilisa.

Qu'est-ce que c'était ?

Un petit bruit doux, prolongé. On aurait dit qu'il provenait d'un soufflet. Il évoquait un grand souffle marin…

Je me forçai à ouvrir les yeux et je vis, à travers mes larmes, que la tortue avait tendu la tête. Celle-ci dépassait légèrement. Il ne se produisit rien pendant quelques instants, puis le cou s'allongea parmi les volutes de fumée, et bientôt la carapace, surmontée des petites flammes des bougies encore allumées, se souleva verticalement en se détachant avec un « plop » du terrain gorgé d'eau.

Le mérite en revenait sans doute à la fumée. « Mamie! m'écriai-je en serrant et en embrassant sa petite tête. Tu es réveillée! »

Je bondis sur mes pieds et heurtai dans mon élan le manche du balai. La tente s'effondra en planant sur ma tête et sur la tortue. Les bougies s'éteignirent. J'agitai les bras pour me libérer de tout ce plastique et de la fumée. Je me débattis et ôtai les capes qui recouvraient encore le dos de mamie. Enfin, nous nous arrachâmes à la fumée âcre.

« Il faut que nous nous dépêchions avant que tu t'endormes une nouvelle fois! » hurlai-je de tout mon souffle.

La tortue paraissait engourdie, ignorant tout du danger. Trois bougies éteintes se dressaient encore sur son dos. Je les balayai d'un geste de la main : elles lui donnaient un air ridicule. Elle bougea les pattes antérieures en se hissant péniblement à la hauteur du sol. Ayant quitté son trou, elle avança avec sa lenteur habituelle dans l'eau boueuse. Je pataugeai derrière elle en la poussant des deux mains pour la conduire plus rapidement vers la sortie. L'eau m'arrivait aux mollets. « Vite, vite. Ne t'arrête pas », criai-je. Pouvait-elle encore me comprendre ? Était-ce encore mamie Eia, cette créature lourde et lente qui avait dormi pendant plusieurs semaines ?

Quoi qu'il en soit, elle se déplaçait. Nous sortîmes enfin du hangar. Je continuai de pousser la tortue en me demandant où l'emmener. Le mieux serait de la conduire à l'intérieur de la maison, mais je craignais de ne pas y parvenir. Les dernières fois que mamie avait gravi les trois marches de l'entrée, cela lui avait pris une éternité. Et maintenant, elle était à moitié abrutie, pas entièrement réveillée. Et puis, s'abriter au rez-de-chaussée ne suffirait pas. Il risquait d'être inondé par les hautes eaux. Seul le premier étage était sûr, mais hélas inaccessible.

J'écartai donc cette hypothèse et poussai la tortue vers la partie haute de la pelouse. Le terrain y formait une bosse, un petit mont de presque trois mètres, dont l'herbe était d'un vert brillant. Même le gel ne l'atteignait pas. J'ignorais si les hautes eaux avaient jamais dépassé ce niveau, mais j'en doutais. Pour l'instant, je n'avais pas de meilleure solution. Voilà pourquoi je poussai et secouai mamie, jusqu'à ce que, pataugeant dans cette espèce de marais, nous arrivions au sommet de la bosse. Jamais je n'aurais réussi à parcourir le dernier tronçon, particulièrement raide, sans la collaboration de la tortue : heureusement, elle s'était, semble-t-il, un peu réveillée. Elle avait eu l'air de comprendre ce que j'essayais de faire.

Là-haut, nous étions enfin au sec. Je me jetai sur l'herbe fraîche et à peine humide. J'étais épuisée. « Mamie, ne te rendors pas. Dis-moi quelque chose, je t'en supplie ! »

La tortue tourna vers moi sa petite tête de reptile. J'eus l'impression de la voir sourire. Elle souffla et émit quelques cris. « Merci Élisa, tu m'as sauvé la vie », avait-elle l'air de dire.

Rassérénée, je poussai un soupir de soulagement, mais au même instant j'entendis du bruit s'échapper de la maison. Je levai la tête et vis quelque chose bouger derrière la porte d'entrée demeurée ouverte. On nous épiait de l'intérieur !

Je bondis sur mes pieds.

J'étais certaine d'avoir aperçu une ombre, qui se montrait par intermittences.

« Qui est là ? » m'écriai-je.

Près de moi, mamie Eia souffla en allongeant le cou.

Soudain, l'ombre sortit à découvert. Elle venait vers nous en produisant de grandes éclaboussures. Elle portait des bottes en caoutchouc. L'eau lui arrivait aux genoux, juste au-dessous du bord de ses bottes, ralentissant ses mouvements.

« Maman », bredouillai-je. Hébétée, je la regardai avancer comme un échassier : elle devait soulever les jambes à chaque pas pour vaincre la résistance de l'eau qui avait envahi la pelouse. Plus elle approchait, plus son expression d'étonnement, de stupéfaction, se précisait. Et j'éclatai de rire en hoquetant.

CHAPITRE XIII

Elle s'immobilisa à un mètre de nous. Elle fixait sur moi des yeux effarés, évitant soigneusement de regarder dans la direction de la gigantesque tortue qui se tenait à mes côtés.

« Je ne trouve pas mamie Eia, dit-elle avec un filet de voix. Elle n'est pas chez elle. »

Je cessai de rire. « Qu'est-ce qui t'amène ici ? » lui demandai-je. C'est à cet instant seulement que sa présence en ces lieux, à la recherche de mamie, me frappa : elle avait transgressé l'interdit.

Je ne m'attendais pas à une réponse. Je pensais qu'elle exploserait en me bombardant de questions concernant mon étrange compagne. À l'évidence, elle était bouleversée. Elle continua cependant d'ignorer la tortue, comme si celle-ci était invisible.

« Tu es partie en courant comme une possédée. Je n'ai pas pu te suivre, car je devais mettre les journaux à l'abri des hautes eaux, cela ne pouvait pas attendre. J'étais sûre que tu étais venue ici, chez mamie Eia. Voilà pourquoi j'ai décidé de te rejoindre après m'être occupée des journaux. Je suis entrée chez elle, mais je ne l'ai pas trouvée. Élisa, il faut que tu me comprennes, ma... ma mère me manque tant. Je sais parfaitement qu'elle ne veut pas me voir, mais juste un moment... Je lui souhaite un joyeux Noël et je m'en vais. Où est-elle? Dis-moi la vérité. Elle s'est cachée en me voyant arriver, n'est-ce pas? »

J'essayai de réfléchir. Certaines choses devaient être immédiatement résolues, d'autres pouvaient attendre. Ce n'était pas le moment d'expliquer à maman que mamie Eia s'était transformée en la tortue qui se tenait à mes côtés. Je la regardai d'un air ébahi, un petit sourire hébété sur les lèvres. Je commençais à croire que la tortue n'était visible qu'à mes propres yeux.

Mamie Eia émit un de ses souffles sonores et s'ébranla. Alors, ma mère détourna à contrecœur ses yeux des miens pour lui jeter un coup d'œil.

« Nous parlerons d'elle plus tard... », commença-t-elle d'une voix dure. Mais elle s'interrompit aussitôt, comme frappée par quelque chose. Une nouvelle expression, semblable à une stupeur respectueuse, s'était glissée dans son regard sombre, fixé sur la tortue.

« Elle est énorme! Gigantesque! Et pourtant, elle a un air familier... j'ai l'impression de l'avoir déjà vue. Élisa, pourquoi m'as-tu menti? Tu jurais que tu avais inventé son existence. Pourquoi? »

Je ne répondis pas.

« Elle me regarde comme si... Où l'as-tu trouvée? »

Les petits yeux de mamie Eia étaient pointés vers maman. Ils brillaient d'un éclat insolite, très vital, très humain. Il y eut un instant de suspension muette, puis sa patte avant gauche se détacha du sol pour se soulever avec une lente gravité. Simultanément, son long cou se penchait du même côté jusqu'à ce que la patte rejoigne la tête. Elle s'y posa avec délicatesse. Mamie Eia demeura un long moment dans cette position, la patte sur la tête, les yeux fixés sur la femme qui l'observait, comme pour dire : touchée !

En transe, ou presque, ma mère fit un pas vers la tortue. Elle s'accroupit pour avoir le visage à la hauteur de cette étrange petite tête.

C'est alors que la tortue ouvrit les mâchoires en un gigantesque bâillement. Elle referma la bouche. Et bâilla une nouvelle fois.

« Oh, mon Dieu ! s'écria ma mère. Oh, mon Dieu ! Oh non ! Ce parfum… c'est… c'est… » Je devinai qu'une bouffée de frangipane et d'épices l'avait atteinte en plein visage. Mais j'avais également compris autre chose. Ces bâillements subits étaient un signal évident. Je les connaissais bien pour les avoir déjà vus à d'autres occasions : mamie mourait littéralement de faim. Bien sûr ! Elle ne mangeait pas depuis plusieurs semaines.

Je balayai la pelouse du regard en me demandant ce que je pouvais lui donner à manger. Il devait encore y avoir des choux dans le potager. Je décidai de ne pas la faire attendre un instant de plus.

« Je vais lui chercher quelque chose à manger, maman. Je reviens immédiatement. »

Maman ne parut même pas m'entendre, mais la *Geochelone* eut un signe d'acquiescement indéniable. J'aperçus des éclats de lumière dans ses petits yeux sombres.

Je dévalai la colline en pataugeant dans l'eau jusqu'aux mollets, à la recherche de choux et de carottes. Dans ma hâte, j'arrachai les carottes encore à moitié inondées sans les débarrasser des petits tas de terre boueuse qui s'accrochaient à leurs racines. Les choux étaient un peu trop jaunes et les carottes à moitié pourries, mais je ne perdis pas de temps à en chercher de meilleurs.

Trois minutes plus tard, j'étais de retour.

Maman et mamie n'avaient pas bougé, mais quelque chose avait changé. Elles semblaient plus proches, comme en contact l'une avec l'autre. Les mains de maman tremblaient tandis qu'elles frôlaient la peau froide de la tortue. Je posai sur le sol la nourriture que j'avais trouvée, mais ni l'une ni l'autre ne s'en aperçut.

Elles gémissaient. Toutes les deux. Puis maman ajouta quelques mots à ses cris incohérents, des exclamations brisées. J'avais du mal à les comprendre. Soudain, elles devinrent plus fluides : un torrent de phrases rapides.

« C'est toi ! C'est toi !… Ce geste… Quand j'étais petite, tu posais toujours ta main sur ton crâne quand je te faisais rire ! Je te disais : "Maman, pourquoi mets-tu la main sur la tête ?" Et tu me répondais invariablement : "Pour que le bonheur ne s'échappe pas. Il s'envole si on ne le retient pas." Oh… maman ! Et ton parfum *Air sauvage*… Sauvage ! il n'y a pas de doute, tu l'es bien devenue… tu as fini par faire ce que tu voulais, n'est-ce pas ? » Elle délirait et riait, sans cesser de caresser la tortue, se penchant sur elle pour effleurer des lèvres le haut de sa petite tête.

Je n'en croyais pas mes yeux. Mais comment! Toutes mes craintes se révélaient donc infondées? La reconnaissance s'était produite immédiatement? Ces trois minutes avaient suffi? Comment dit-on... le sang, c'est le sang?

Ce sang réveillé paraissait avoir communiqué à maman toutes les informations importantes de la vie. On aurait dit que quelque chose en elle avait rompu les digues: ce fragment d'intimité se déversait à l'extérieur comme une rivière de lave. Elle se libérait des vieilles peurs qui l'avaient toujours obligée à nier avec véhémence tout ce qui était bizarre et obscur.

Quant à la tortue, je lisais dans ses gémissements passionnés le pardon définitif du passé.

«MONTRE-TOI UN PEU: TU N'AS PAS BEAUCOUP CHANGÉ AU COURS DE CES DERNIÈRES ANNÉES, marmonnait-elle avec des soupirs et des souffles marins très satisfaits.

– Quoi? Qu'est-ce que tu veux me dire?»

Maman ne la comprenait pas. Et comment aurait-elle pu? J'avais moi-même mis beaucoup de temps pour le faire et je n'y étais parvenue qu'avec l'aide de Shakespeare.

«Elle dit que tu n'as pas du tout changé, expliquai-je, me décidant à jouer l'interprète.

– C'est un compliment que je ne peux pas te retourner! s'exclama ma mère entre éclats de rire et larmes.

– Sais-tu combien de temps vivent les *Geochelone gigantea*? dis-je à maman. Jusqu'à cent cinquante ans, même plus.

Mamie Eia n'est donc pas obligée de mourir vite, n'est-ce pas, mamie Eia ? »

La tortue acquiesça avec une lenteur grave.

« Oui, mais… quel genre de vie va-t-elle avoir ?

– Une vie de tortue !

– Pourquoi ne m'as-tu rien dit ? Pourquoi ? »

Je haussai les épaules. Elle devait très bien savoir pourquoi je m'étais tue.

« Depuis combien de temps est-elle… dans cet état ? »

Tandis que mamie commençait à dévorer le chou, je racontai à ma mère la lente et imperceptible transformation durant laquelle mamie Eia avait semblé heureuse de ce qui lui arrivait.

« Ces animaux n'ont-ils pas froid, l'hiver ? Je ne pense pas qu'elle puisse se plaire à Venise… cette ville est si humide !

– Oui, c'est bien le problème, affirmai-je en regardant mamie avaler ses dernières carottes. Elle n'arrête pas de tomber en léthargie.

– Il faudrait la conduire dans un endroit… un endroit approprié !

– Pas dans un zoo ! m'écriai-je d'une voix effrayée. Pas à l'asile, maman !

– Non, non, qu'est-ce que tu racontes… »

Mamie Eia souffla furieusement. Maman se tourna vers elle : « Je ne pensais pas à ça… non, non !

– Pas même dans une maison de repos pour petits vieux, soulignai-je.

– Je pensais… je ne veux pas la perdre maintenant que je l'ai retrouvée. Nous n'avons qu'à l'emmener à la maison.

Nous lui chaufferons bien le grenier, qui est spacieux et possède même un belvédère. Elle y sera bien au chaud. Elle vivra pour toujours avec nous. N'est-ce pas, maman, que tu veux vivre avec nous ? »

Mamie hésita en secouant la tête de droite à gauche, puis elle rugit. Elle était d'accord.

« Il faut la conduire à la maison… immédiatement ! Mais comment ? Que vont dire les gens en nous voyant passer ? »

La tortue poussa quelques cris. Cette fois, leur sens m'échappa, puis elle dit quelque chose de plus clair.

« En bateau. Elle nous dit de l'emmener chez nous en bateau, traduisis-je. Il faut se dépêcher, maman, car le froid pourrait de nouveau la faire tomber en léthargie.

– Oui, un bateau… où le trouver ?

– Je vais en chercher un, proposai-je. Il y a un homme, à la Celestia, qui possède un gros *cofano*[1].

– Il vaut mieux que je t'accompagne, il refusera peut-être de te le louer.

– En laissant mamie toute seule ? demandai-je d'un air hésitant en regardant la tortue.

– PARS TRANQUILLEMENT, ELISA. JE NE M'ENDORMIRAI PAS, répondit mamie en balançant sa tête.

– Que dit-elle ? Que dit-elle ? Pourquoi la comprends-tu, et pas moi ? »

Maman était impatiente. D'un geste mécanique, elle chercha ses cigarettes sans les trouver. « Nous revenons immé-

---

1. Sorte de grosse barque typiquement vénitienne, dont la forme évoque un coffre.

diatement », promit-elle à mamie après que j'eus traduit, serrant son fin cou de serpent et lui caressant la tête. Elle avait les yeux brillants de larmes et un sourire timide que je ne lui connaissais pas.

Nous quittâmes mamie après lui avoir recommandé encore une fois de ne pas s'endormir, et nous nous dirigeâmes vers la pelouse. Non sans surprise, nous constatâmes que l'eau s'était totalement retirée pendant que nous parlions. Nous pressâmes le pas, sans cesser toutefois de nous retourner : au sommet de la colline, la tortue se détachait contre le ciel rouge du couchant.

Nous atteignîmes les *Petites Casernes* le plus rapidement possible. Je trouvai la maison de l'homme qui possédait le *cofano*. Nous frappâmes. Sa femme nous ouvrit. Tandis qu'elle nous observait avec un air déconcerté, maman lui expliqua que nous avions besoin du bateau pendant une heure, pas plus : nous devions transporter un chargement de la Celestia à notre appartement, un meuble lourd, une vieille commode.

J'écoutais avec surprise et admiration : c'était la première fois que j'entendais ma mère inventer quelque chose.

La femme ne posa pas de questions. Elle nous dit que son mari était sorti sans son bateau, amarré non loin de là, et accepta volontiers la somme que maman lui offrait. Tout se déroulait à merveille.

Après avoir conduit l'embarcation le plus près possible du sentier qui menait chez mamie, nous l'amarrâmes au ponton. Avec un peu de chance, nous parviendrions à y emmener la tortue sans que personne ne nous remarque.

Une fois dans l'embarcation, nous la couvririons. Nous arriverions jusqu'au canal qui se trouvait en bas de chez nous puis, avec un peu plus de chance, à la maison à l'insu de nos voisins. Il ne nous resterait plus ensuite qu'à rendre le *cofano* et les jeux seraient faits.

Mais quand nous tournâmes la tête vers la petite colline, au milieu de la pelouse, nous ne vîmes aucune protubérance altérer la ligne douce et précise de son sommet. Était-ce la lumière qui nous trompait ? Le ciel s'était assombri.

Après avoir gravi la pente en toute hâte nous découvrîmes ce que nous devinions déjà : il n'y avait pas de trace de mamie Eia. Nous redescendîmes rapidement pour entrer dans la maison. Les hautes eaux avaient abandonné sur le carrelage une couche vaseuse, et je faillis glisser. Les pièces étaient désertes, y compris celles du premier étage que j'inspectai, même si, je le savais, la tortue était incapable de grimper les marches.

Je me précipitai au hangar : également vide. Le sol était encore trempé. Je jetai un coup d'œil à la fosse où mamie avait passé beaucoup de temps en hibernation. Tout autour, il n'y avait que les misérables restes de mon feu. Je soulevai ce qui restait de la tente en plastique composée de capes, mais j'étais certaine qu'elle ne dissimulait rien.

Je rejoignis maman. Ensemble, nous appelâmes longuement mamie, la voix enrouée par l'angoisse. Le soir tombait rapidement. Je n'avais jamais été chez mamie à une heure aussi tardive. Je frissonnai. Tout était si étrange. Ces lieux dégageaient une solitude et un vide immenses. Je cherchai la main de maman et la serrai dans la mienne.

CHAPITRE XIV

Il y a des moments, dans la vie, où la réalité subit un accroc. Comme un rideau qui se déchire en découvrant une réalité différente, étrange et impossible.

Je sentis que l'absence de mamie Eia était due à l'un de ces accrocs. Trop absurde pour être vraie.

« Que faisons-nous ? » demandai-je dans un murmure. Il me paraissait illogique que mamie se fût éloignée volontairement pendant notre absence. Quelque chose l'avait donc mise en fuite. Elle s'était cachée pour échapper à un danger. Mais je ne parvenais pas à imaginer le danger dont il pouvait s'agir.

« Cherchons-la, dit ma mère avec fermeté. Elle ne peut pas être allée bien loin, n'est-ce pas ? Toi qui connais cet endroit, de quel côté a-t-elle pu se diriger ? »

Je balayai les environs d'un regard hésitant. Le quartier était clos d'un côté par le grand mur de l'Arsenal, et de l'autre par la lagune. Il était impossible d'en sortir sans emprunter la passerelle, et pour atteindre cette dernière, il fallait longer les *Petites Casernes*.

« Voyons si nous trouvons des traces », dis-je en essayant d'adopter un ton décidé. Je m'élançai vers le sentier que l'hiver avait partiellement dépouillé de ses mauvaises herbes.

En nous éloignant de la clairière et de la maison, nous arrivâmes à la grille de l'Arsenal.

« À ton avis, les gens qui travaillent ici auraient-ils pu la prendre ? demanda maman.

– Je ne crois pas. On ne voit jamais personne franchir cette grille. »

Je jetai un coup d'œil autour de moi : avec sa lumière grise et uniforme, le crépuscule brouillait les contours des buissons. Je ne vis aucune trace. Nous poursuivîmes notre chemin.

« Elle est peut-être passée devant les *Petites Casernes* pendant que nous étions dans le bateau », dis-je.

Maman ne paraissait pas convaincue. Elle me montra les maisonnettes, au loin.

« Si c'était le cas, il y aurait encore la pagaille dans le quartier : les Vénitiens n'ont pas l'habitude de voir des tortues géantes se promener devant chez eux, tu ne crois pas ? » Elle écarta les bras. « Elle s'est évanouie dans le néant ! » s'exclama-t-elle comme si c'était l'hypothèse la plus acceptable.

J'examinai son visage perplexe. Maintenant, elle se dit qu'elle a eu une hallucination, pensai-je. Elle se dit que la tortue n'a jamais existé.

« Qu'y a-t-il là-bas ? m'interrogea-t-elle en indiquant la masse dense des ronciers qui séparait les *Petites Casernes* du mur de l'Arsenal.

– Je n'y suis jamais allée. »

Cela pouvait être une bonne cachette. Le problème, c'était qu'il était impossible de se déplacer à l'intérieur. Il s'agissait d'un terrain inculte, que les ronces ne désertaient jamais, pas même l'hiver.

Nous abandonnâmes le sentier pour nous en approcher. Le ciel s'était presque entièrement obscurci. La nuit ne tarderait pas à tomber.

« Regarde ! » J'attrapai le bras de maman et le serrai très fort.

Il y avait une sorte de sillon dans l'enchevêtrement de ronces, une bande de végétation aplatie qui se perdait dans l'obscurité.

« C'est elle », dis-je avec conviction. J'avançai sur cette faible trace en m'égratignant les jambes. Maman m'emboîta le pas. J'étais de plus en plus certaine d'avoir retrouvé mamie. À l'aide de mes bras, j'écartais les rosiers sauvages et les retenais pour que leurs branches épineuses ne fouettent pas le visage de maman. Nous marchâmes plusieurs minutes sur cette illusion de sentier. La trace paraissait de plus en plus brouillée ; bientôt, mauvaises herbes et arbustes se refermèrent derrière nous, nous isolant totalement.

La nuit tombait très rapidement. Un instant, je craignis de demeurer prisonnière de cet enchevêtrement avec maman. Mais après avoir repoussé la masse de ronces, nous rejoignîmes le sillon de végétation écrasée. Au bout de quelques pas, nous débouchâmes sur une zone plus clairsemée.

Je touchai un mur sur ma droite. « Nous sommes derrière le grand hangar, je crois. Oui, voici une fenêtre. »

Je m'immobilisai. Maman s'approcha pour regarder à

travers l'ouverture, pratiquée à un mètre cinquante du sol. Aucun grillage, aucun fil de fer barbelé n'en barrait l'accès.

J'avais raison, nous étions maintenant derrière le hangar aux grandes cheminées, ce hangar lugubre qui m'évoquait le Ku Klux Klan et devant lequel je passais chaque fois que j'empruntais la passerelle.

À l'intérieur, l'obscurité était compacte : une matière impénétrable qui dégageait des vibrations froides et hostiles.

Nous demeurâmes un moment immobiles en silence, sans avoir la force d'appeler mamie à voix haute. Comme si ces ténèbres pouvaient abriter non pas notre tortue mais un mystérieux monstre, bien plus archaïque et bien plus féroce.

Mais je perçus soudain un bruit qui me rassura. « Elle s'est cachée ici, j'ai entendu un souffle, murmurai-je.

– Je n'ai rien entendu.

– Moi si. J'en suis certaine. »

Nous nous éloignâmes de la fenêtre pour longer le mur. Un peu plus loin, en écartant des buissons, nous trouvâmes une ouverture en ruine. « Il y a un trou ici », dis-je en chuchotant.

Une lumière jaune, subite, révéla les contours de la déchirure, dans le mur : maman avait gratté une allumette. La petite flamme vacilla quelques instants, éclairant la scène. Il s'agissait sans doute de l'arrière d'une des deux grandes cheminées. Je fis un pas et trébuchai sur un rocher. La petite flamme s'éteignit. J'entendais la respiration de maman derrière moi. Nous étions maintenant dans la cheminée, à l'intérieur du hangar.

« Il n'y a personne ici, murmura maman.

– Mamie Eia ? » appelai-je en essayant de forcer ma voix pour briser l'enchantement.

Mon cri retentit et me renvoya un écho étranger, épouvantable. Maman et moi ressemblions à deux fillettes perdues dans un château maudit. L'air était gelé et humide. Il sentait l'urine de chat. À nouveau, nous perçûmes une vibration glaciale au-dessus de nos têtes. Un bruissement.

« Ce sont sans doute des chauves-souris », chuchota maman en levant les bras pour se protéger les cheveux.

Je l'imitai instinctivement. Je m'étais peut-être trompée... peut-être était-ce le bruit de ces animaux que j'avais entendu un peu plus tôt.

Nous attendîmes encore.

« Mamie Eia ! »

Cette fois, ce fut une voix étranglée, beaucoup plus faible que je ne l'aurais voulu, qui s'échappa de mes lèvres. Un misérable glapissement. Pourquoi n'arrivais-je pas à crier ? Pourquoi ma mère ne s'égosillait-elle pas, elle non plus ?

Un souffle monta de l'obscurité. Ce n'était pas une chauve-souris ! Ce n'était pas une chauve-souris ! C'était un de ces grands souffles marins que je connaissais si bien...

« Gratte une autre allumette », suppliai-je, et quand la petite flamme diffusa sa lumière jaunâtre, j'inspectai frénétiquement les lieux du regard. Les immenses cheminées projetaient des ombres qui dansaient devant mes yeux.

Le grand souffle se répéta, profond et mélancolique.

Maman l'avait entendu, elle aussi. Accompagné d'un autre bruit. On aurait dit le ronflement d'un dormeur.

En brandissant une allumette, nous avançâmes de quelques pas dans la direction d'où le ronflement semblait provenir : une cheminée, sur notre gauche.

Il y avait un tas sombre sur le sol. Nous nous approchâmes. Un homme était recroquevillé par terre, les bras agrippés à une masse ronde sur laquelle son buste et sa tête étaient appuyés. C'était lui, le ronfleur.

Son corps recouvrait entièrement la masse, et pourtant je compris aussitôt qu'il s'agissait de mamie.

Nous nous arrêtâmes à deux mètres de distance, paralysées par la peur et le soulagement. L'homme avait beau avoir le visage caché, nous avions immédiatement reconnu son corps maigre et sa veste en daim.

Max. Dans son sommeil, il se cramponnait à la tortue comme s'il craignait qu'elle ne s'enfuie.

L'allumette s'éteignit sans que je réussisse à comprendre si la tortue était réveillée, ou si elle était retombée dans sa léthargie. Je ne l'avais pas vue bouger.

« C'était la dernière, murmura maman.

– Quoi ?

– Je n'ai plus d'allumettes, la boîte est vide ! »

À nouveau, j'entendis les chauves-souris voler au-dessus de nos têtes.

Nous sommes deux, pensai-je frénétiquement. Et il dort. Nous pouvons y arriver. Nous n'avons qu'à lui sauter dessus, l'attraper et… et quoi ? Le mordre ? Le bourrer de coups de pied ? Dans le noir ?

Les ailes des chauves-souris brassaient l'air au-dessus de moi. C'est peut-être grâce à elles que j'élaborai un meilleur plan. Et grâce au fait que Max dormait. Sa confession, sa terreur des cauchemars me revint à l'esprit. Je m'approchai de maman et collai les lèvres à son oreille.

Je lui parlai longuement : elle avait beaucoup de choses à apprendre, de nombreuses phrases à mémoriser. Je les lui répétai plusieurs fois, les susurrant à l'intérieur de son oreille, droit jusqu'au fond de son cerveau.

« Si tu ne te rappelles pas les mots, invente ! N'aie pas peur d'improviser ! Ce qui compte, c'est le ton : crie le plus fort que tu pourras », conclus-je en murmurant des encouragements.

Maman opina du bonnet, trop étonnée pour réagir. Comme moi, elle n'avait peut-être pas très envie de sauter sur cet homme, et mon plan lui parut sans doute une bonne alternative.

Dans l'obscurité, je perçus encore une fois le souffle marin, derrière les ronflements.

« Maintenant ! » chuchotai-je.

Me redressant pour permettre à ma voix de s'échapper de ma poitrine avec toute sa puissance, je gonflai le thorax et hurlai : « J'y vais, Graymalkin ! »

J'entendis maman lancer d'une voix caverneuse, à mes côtés : « C'est le crapaud qui appelle !

– Où as-tu été, sœur ? dis-je dans un barrissement.

– Tuer le cochon ! »[1]

La voix de maman était féroce, méconnaissable. L'écho amplifiait nos cris, les rendant presque surnaturels.

1. La plupart de ces répliques sont tirées de *Macbeth*, traduction de François-Victor Hugo, Paris, Flammarion, 1964.

Nous entendîmes un mouvement là où l'homme était allongé.

Je me mis à hurler comme une possédée, sans plus m'arrêter : « La harpie crie : Il est temps ! Il est temps ! Tournons en rond autour du chaudron et versons-y les entrailles empoisonnées ! »

Un bruit, un gémissement prolongé.

Les chauves-souris s'affolaient au-dessus de nos têtes. Je me mis à taper sur mes cuisses pour faire le plus de vacarme possible. Claquements et hululements.

C'est alors qu'un bruit rauque et terrible s'échappa de l'endroit exact où l'homme et la tortue se tenaient.

Maman ne comprit sans doute pas ces hurlements, mais moi, je devinai leur sens. C'était plus ou moins : « Je m'envole, je consacre la nuit à une œuvre sans nom. »

Mamie Eia s'était réveillée. Elle s'unissait à nous. La troisième sorcière.

« Feu, brûle ; et, chaudron, bouillonne ! s'écria maman en éclatant d'un rire satanique digne d'une ogresse.

– Versons le sang d'une truie qui a mangé ses neuf pourceaux ! » mugit la voix difforme devant nous.

De sombres échos semblaient s'échapper des profondeurs de l'enfer. J'ignore comment elle les produisait, peut-être en abattant ses pattes sur le sol.

« Doigt d'un marmot étranglé en naissant ! hurla maman. Graisse qui a suinté du gibet d'un meurtrier ! » Ses rires me glaçaient le sang, à moi aussi.

Devant nous, dans le noir, l'homme avait dû s'asseoir. Ses gémissements se transformèrent en plaintes terrorisées.

« Pour faire un charme puissant en trouble, bouillez et écumez comme une soupe d'enfer! »

Une partie de moi-même se réjouissait de la complicité qui m'unissait à maman. C'était une sorcière fantastique, scélérate et perverse. Ma complice. Avec elle et avec l'aide de mamie Eia, je me sentais invulnérable et puissante.

Max s'était sans doute levé.

« Non, non, non, l'entendîmes-nous geindre dans le noir d'une voix inarticulée. Non, non, non. Partez! Partez! »

Maman et moi poussions des cris lugubres et menaçants, tandis que mamie Eia soufflait horriblement, mais je ne crois pas que Max était encore en mesure de nous entendre. « Partez! Partez! Partez! » ne cessait-il de hurler.

Je ne le voyais pas, et pourtant je l'imaginais parfaitement : les mains sur les oreilles, le corps tourbillonnant comme une toupie, la tête en proie à des sursauts désordonnés.

Tu auras beau faire, pensai-je, tu ne te libéreras pas de nous. File, file, file, ça vaut mieux pour toi!

Nous entendîmes des bruits plus forts, de cailloux en train de rouler, de pas de course, d'autres gémissements, et toujours ce « Partez! Partez! » aussi désespéré et incessant que le hurlement d'un chien, qui nous indiquait sa position dans l'obscurité. Il avait bougé. Il s'éloignait.

Comme une taupe débusquée dans sa galerie, il trouva à tâtons la sortie. Ses « Non » et ses cris inarticulés s'affaiblirent et finirent par se perdre dans la nuit.

Nous continuâmes notre sarabande pendant une minute, jusqu'à ce que nos gorges ne délivrent plus que des sons rauques et stridents. Nous n'avions plus un filet de voix. Nous nous tûmes, épuisées.

Les sorcières de Macbeth avaient gagné! Peu importait que nous eûmes mélangé sans pudeur toutes les répliques : Shakespeare frappe toujours en plein cœur.

J'avançai dans le noir, un pas après l'autre. Je me penchai en étirant les bras pour toucher la tortue, qui à son tour s'était déplacée.

« Mamie! » m'écriai-je. Je sentis maman se pencher à côté de moi.

Je levai le visage vers le bruissement au-dessus de nos têtes. Les chauves-souris volaient d'un bout à l'autre du hangar. Elles ne m'effrayaient pas : n'avaient-elles pas été nos alliées quand nous étions sorcières ?

« Pourquoi l'as-tu laissé t'emmener ici, mamie? demandai-je en interrompant les effusions de la tortue et de maman. Pourquoi as-tu suivi Max au lieu de nous attendre, comme convenu? » J'avais posé la main sur sa petite tête afin de m'assurer de sa présence dans le noir.

« IL M'A OFFERT UNE CAROTTE BIEN FRAÎCHE ET M'A DIT QU'IL SAVAIT COMMENT ME CONDUIRE À ALDABRA. » La voix de la tortue était confuse, j'avais du mal à la saisir.

« Et tu serais partie comme ça? m'exclamai-je. Pour une carotte bien fraîche? Mamie!

— Pour Aldabra, bredouilla-t-elle.

— Tu nous aurais abandonnées! » J'étais abasourdie.

« Que dit-elle? demanda maman en s'énervant. Pourquoi nous aurait-elle abandonnées? »

Je tentai de lui expliquer ce qui s'était sans doute passé. « Max a dû nous suivre, maman. Toi ou moi. Il s'est ensuite caché et a attendu que nous nous éloignions pour... pour tromper mamie en lui promettant de l'emmener à Aldabra.

– En lui promettant ? Tu veux dire qu'il lui a parlé ? Comment pouvait-il savoir que la tortue était capable de le comprendre ? »

L'observation de maman me laissa rêveuse. Oui, comment cela s'était-il produit ? Pourquoi Max lui avait-il parlé ? Il ne pouvait pas savoir que notre tortue était en mesure d'appréhender le langage humain... à moins qu'il ne nous ait épiées de près, d'assez près pour saisir notre conversation... mais dans ce cas, nous l'aurions vu. Non, la réponse était plus simple.

« Max a l'habitude de parler à ses reptiles, il les considère comme des amis, ou quelque chose de ce genre. Il pense qu'ils le comprennent. Il a sans doute fait la même chose avec la tortue, en essayant de la persuader avec le son de sa voix, dis-je.

– Et elle l'a suivi spontanément ? » La voix de ma mère traduisait du trouble et de la déception. « Où se trouve donc cette Aldabra ? Je n'en ai jamais entendu parler. Non, non, tu vas rester avec nous, maman. Nous te donnerons tout notre amour. Nous te gâterons, poursuivit-elle avec une insistance désespérée. Nous te ferons un tas de câlins. Demain, c'est Noël. Le fait que nous soyons toutes les trois réunies pour Noël n'est-il pas une coïncidence extraordinaire ? »

La tortue émit un sifflement.

« QUELQUEEESJOOOURRSOUIIINOËËËL.
– Qu'a-t-elle dit ?
– Elle vient avec nous quelques jours. Pour les fêtes de Noël.
– Et après ?
– ALLLDAAABRAAA », siffla la tortue.
Cette fois, je n'eus pas besoin de servir d'interprète. Ma mère aussi avait compris.
« Aldabra est un atoll de l'océan Indien, lui expliquai-je d'une voix triste.
– Dans l'océan Indien, tu parles ! Comment y arrive-rait-elle ? C'est hors de question !
– Nous pourrions demander l'aide d'un scientifique. » Je m'exprimais d'une voix éteinte. Mamie avait suivi Max en l'entendant prononcer le nom d'Aldabra, son île devait donc lui manquer terriblement ! « Ces tortues sont des animaux en voie d'extinction, elles forment une espèce protégée. Elles vivent toutes là. C'est leur île. Tu verras, les scientifiques la conduiront en bateau à Aldabra.
– Si loin ! » Dans le noir, la voix de ma mère paraissait encore plus résignée, plus défaite.
« Pour l'instant, nous devons quitter cet endroit et rejoindre notre barque, dis-je pour la distraire.
– Et ce Max ? N'est-il pas dangereux ? Que faire de lui ? » Maman s'adressait à moi comme si j'étais l'adulte, et elle l'enfant.
« Mamie, penses-tu qu'il est encore dangereux ? » Elle s'y connaissait certainement, ayant longtemps vécu avec les fous.

Sa petite tête bougea sous ma main, en un signe de dénégation.

« À l'heure qu'il est, il doit être loin, dis-je. Ne nous inquiétons plus. » Max m'avait appris une chose. Parfois, les fous ne sont que des gens qui ont peur, trop peur, et qui essaient d'effacer cette peur à tout prix sans se soucier des autres. C'est à ce moment-là qu'ils peuvent devenir dangereux. Mais notre Max était hors d'état de nuire pour un bon moment. Peut-être pour toujours.

Nous nous déplaçâmes à tâtons dans le noir jusqu'à la brèche de la cheminée.

Une fois dehors, nous fûmes surprises par une clarté diffuse. Une lune ronde et ferme, très blanche, brillait dans le ciel. La tortue nous précédait, ouvrant de son pas lent le rideau de ronces et d'arbustes. En la suivant, nous nous arrachâmes sans trop de difficultés à cette épaisse végétation, et nous vîmes bientôt apparaître devant nous le faisceau de lumière d'un réverbère. Un peu plus tard, nos pieds foulaient le béton lisse des pontons. Nous atteignîmes le *cofano*.

Quand mamie Eia fut parvenue à monter dans l'embarcation, nous la dissimulâmes en jetant le manteau de maman sur son dos.

Soudain, le silence de la nuit fut brisé par le bruit du moteur : maman avait démarré le *cofano*.

Nous filâmes dans l'eau sombre de la lagune, aussi lisse que de l'huile. La lune éclairait le sillon que le bateau dessinait comme si c'était de l'or noir.

« Mamie, tu es bien, là-dessous ? Tu n'as pas trop froid ?

– Nous serons bientôt à la maison, dit maman. Bien au chaud. »

Un souffle aussi doux que le vent nous répondit de sous le manteau. Il était là, juste à côté, dans le bateau qui nous ramenait chez nous. Et pourtant, il semblait provenir d'océans reculés, de continents disparus, d'étoiles lointaines. Un parfum de frangipane et d'épices se mêlait à l'odeur des algues et des ordures imprégnant l'eau qui glissait au-dessous de la coque. C'était un arôme sucré, entêtant. Je commençai à respirer tout doucement, pour éviter de le sentir, mais je changeai bientôt d'avis. Je l'avalais maintenant à pleins poumons, l'esprit vide de toute pensée.

ÉPILOGUE

Le bateau avance dans la verte étendue d'eau ridée qu'on appelle océan Indien. Depuis des jours et des jours, nous n'avons pas aperçu d'autre embarcation.

Pendant tout le voyage, j'ai rendu tripes et boyaux. Maman aussi. En revanche, mamie Eia n'a pas montré le moindre signe de malaise. Elle s'est ménagé un espace entre les amarres, sur le pont, elle y passe ses journées et ses nuits à somnoler. Allan non plus n'a pas eu le mal de mer, il se moque bien des vagues de l'océan.

Allan est le jeune scientifique américain qui a répondu à notre lettre. Après nous avoir téléphoné plusieurs fois, il est venu nous rendre visite à Venise fin janvier. Il s'est aussitôt lié d'amitié avec mamie Eia. Naturellement, il ignore que c'est ma grand-mère. Ayant écarté l'hypothèse selon laquelle elle se serait enfuie d'un zoo, il a conclu qu'elle avait rejoint la lagune à la nage depuis son atoll, se laissant transporter par les courants. Pourquoi Venise? Mais parce qu'elle possède une lagune comme Aldabra! Une belle et grande lagune. Si les *Geochelone gigantea* peuvent nager de Madagascar à Aldabra (c'est prouvé parce que c'est de là qu'elles proviennent), pourquoi pas d'Aldabra à Venise ? Dès qu'il sera rentré aux États-Unis, il écrira un important article scientifique à ce sujet.

Il est sympathique, Allan. Pour nous remercier de nous être adressées à lui, il nous a permis d'embarquer, nous aussi, pour ce long voyage, de façon à accompagner la tortue jusqu'à sa destination finale.

« C'est un magnifique spécimen mâle », nous a-t-il dit la première fois qu'il l'a vue. Nous étions chez nous, et mamie Eia se promenait dans l'appartement, impatiente de partir se réchauffer à Aldabra. Au cours des derniers temps, elle avait encore grossi, à force de se bourrer de gâteaux.

« Non, vous vous trompez, avais-je répondu. C'est une femelle.

– Non, non, c'est un mâle. Voyez, on le comprend à trois éléments : le plastron qu'elle a sur son ventre est incurvé, alors qu'il est plat chez les femelles ; la queue est plus longue chez les mâles et les ongles sont, en revanche, plus courts ; contrairement aux femelles, ils n'ont pas à creuser dans le sable pour enterrer leurs œufs. »

J'avais lancé un regard dans la direction de ma mère, qui s'était contentée de lever les yeux au ciel. Comme pour signifier : les surprises de mamie Eia n'en finissent jamais. Alors, elle voulait vraiment devenir un mâle ? Se transformer en tortue ne lui suffisait pas ?

Plus tard, ce jour-là, j'avais demandé directement à mamie si elle s'était vraiment changée en mâle.

« TANT QUE J'Y ÉTAIS, POURQUOI PAS ? m'avait-elle répondu en posant une patte sur sa tête. TU SAIS COMBIEN J'AIME LES RÔLES MASCULINS : OTHELLO, HENRI IV, MACBETH, HAMLET… »

Et maintenant, nous sommes à bord de ce bateau qui se balance sur les flots.

Allan vient nous avertir : Aldabra est proche. On ne la distingue pas encore car elle est très plate, mais il ne nous reste plus que quelques milles à parcourir. Il nous faut seulement attendre l'arrivée de la marée haute pour pénétrer dans ses eaux et atteindre la côte.

L'estomac en émoi, je sors sur le pont et m'appuie au bastingage. Dans son coin, entre les amarres, mamie Eia me salue en soufflant.

J'aimerais que ce voyage ne se termine jamais, en dépit du malaise qu'il suscite en moi. Et au lieu de ça, nous sommes presque arrivés. Je jette un coup d'œil à mamie. Elle s'est dressée sur ses pattes, le cou tendu, l'œil aux aguets.

Mamie, mamie, à qui déclameras-tu Shakespeare désormais ? Je ne peux m'empêcher de redouter que, dans l'impossibilité de réciter de temps à autre une bonne pièce à un auditoire attentif, elle ne perde un jour son humanité. Qu'elle ne finisse par nous oublier. Je serre entre les doigts le petit camée de la bague que je porte toujours au cou. Moi, je ne t'oublierai pas, mamie. Mais toi ?

« Regarde, là-haut ! » s'écrie ma mère en pointant un doigt vers le ciel.

La tête vacillant un peu sous l'effet du mal de mer et de la mélancolie, je lève les yeux.

Là-haut, il y a le ciel. Vaste et bleu. On dirait qu'il nous engloutit. Et au milieu, juste au-dessus de nous, dans tout ce bleu vertigineux, se détache une forme verte, un cœur d'émeraude. Ce cœur vert fait un drôle d'effet au milieu de tant de bleu.

Je ne parviens pas à en détacher les yeux.

« C'est Aldabra, dit Allan à mes côtés. C'est le reflet de sa lagune sur les couches les plus humides de l'atmosphère. Nous avons de la chance, c'est un phénomène très rare. Un explorateur l'a décrit en 1742, mais on ignore s'il s'est manifesté par la suite. »

Je me tourne vers la tortue : le cou tendu, elle fixe le ciel, elle aussi. Lentement, elle soulève une patte et la pose sur sa petite tête de reptile. Ses mâchoires se desserrent et ne se referment pas, elle contemple, bouche bée, ce morceau de terre qui se reflète dans le ciel.

RÉALISATION : PAO ÉDITIONS DU SEUIL
IMPRESSION : NORMANDIE ROTO IMPRESSION S.A.S. À LONRAI (FRANCE)
DÉPÔT LÉGAL : AVRIL 2003. N° 55234 (030760)